Peter Wapnewski

Richard Wagner Die Szene und ihr Meister

Beck'sche Schwarze Reihe
Band 178

PETER WAPNEWSKI

Richard Wagner – Die Szene und ihr Meister

VERLAG C. H. BECK MÜNCHEN

CIP-Kurztitelaufnahme der Deutschen Bibliothek

Wapnewski, Peter
Richard Wagner: d. Szene u. ihr Meister;
– 1. Aufl. – München: Beck, 1978.
Beck'sche Schwarze Reihe; Bd. 178)
ISBN 3 406 06778 6

ISBN 3 406 06778 6

Umschlagbild: Zeichnung von Monica Plange nach einem Schattenriß
(Historisches Museum Stadt Wien) aus dem Jahre 1875
Einbandentwurf von Rudolf Huber-Wilkoff, München

Satz: Georg Appl, Wemding – Druck: aprinta, Wemding
Printed in Germany

ULRICH PRETZEL

DEM GERMANISTEN UND MUSIKER
IN VEREHRUNG ZUGEEIGNET
zum
14. Juli 1978

Das ist nun die Kunst! Aber diese Kunst hängt sehr mit dem Leben bei mir zusammen.

(An Mathilde Wesendonck,
29. Oktober 1859)

Inhalt

Einleitung

Es sei über keinen Menschen nächst Jesus und Napoleon eine so große Zahl von Buchtiteln verfaßt worden wie über Richard Wagner, – so bemerkte jüngst der in London wirkende Musikwissenschaftler Hans Keller. Die Tendenz hält an, wie auch vorliegender Fall zeigt. Also: Wagner und kein Ende? In der Tat, ein Ende ist nicht abzusehen. Wohl aber ist die Vermutung erlaubt, daß der heute, dank der Aufwertung des Neunzehnten Jahrhunderts und der ihm gewidmeten Interessen, wieder aktualisierte Wagner gelassener und also gerechter gesehen und beurteilt werden kann als der im Kampf zwischen Wagnerianern und Anti-Wagnerianern zur erkennbaren Unkenntlichkeit entstellte Bayreuther Gott oder Gottseibeiuns.

Über das Genie seiner Musik ist sich die Musikwissenschaft, wenn ich recht sehe, längst einig geworden. Es gäbe ohne Wagner nicht die „neue", die Musik des Zwanzigsten Jahrhunderts, und die Oper wäre ohne seinen gewaltigen Erneuerungsakt ein reizvoll tönendes Museum.

Bleibt der Mensch; – und wollte man beflissen hinzufügen „in seinem Widerspruch", so wäre diese Charakterisierung noch milde. Eigentlich war er gar nicht der Repräsentant widersprüchlicher Wesenszüge, wie sie das menschliche Leben grundsätzlich stigmatisieren. Eigentlich war er einfach, und zwar von furchtbarer Einfachheit: weil eben er seine ganze Person und Persönlichkeit, sein Handeln und Sein als Komponist und Musiker, als Politiker und Kaufmann, als Organisator und als Liebender, als Freund und als Dichter und Theoretiker auf nahezu einzigartige Weise identifiziert hat mit der Idee seines Lebens: der Verwirklichung seines Werks.

Was immer Wagner tut oder unterläßt, was immer er sagt

oder verschweigt (das eine mehr als das andere), es dient der Inszenierung des durch seine Person garantierten Werks, der durch sein Werk garantierten Person. Wo immer er auftritt, wirkt, stürzt oder steigt, da wird ein Stück gegeben: Wagner als Gesamtkunstwerk. Die in der Tat staunenswerteste Künstlerpersönlichkeit des Neunzehnten Jahrhunderts, das hat früh schon Nietzsche erkannt, und die Feststellung gilt heute nicht minder. Als solche aber ist er viel mehr. Der Künstler als der kreative Mensch, der Künstler als autonome Instanz gilt der Moderne als Beglaubigung menschlicher Existenz schlechthin, nachdem religiöse und metaphysische Autorisation fragwürdig und hinfällig geworden ist. Das Ärgernis Wagner ist das dem Zwanzigsten Jahrhundert durch das Neunzehnte vermachte Ärgernis des Menschen, der Freiheit nurmehr im Raum der Kunst sieht und dessen Wesen gekennzeichnet ist durch die Auseinandersetzung zwischen den Mächten der „Kunst" und des „Lebens", durch die ständigen Versuche, das Kräfteverhältnis zwischen diesen Mächten zu verändern.

Insofern wird es so bald kein Ende haben mit Wagner.

Die einzelnen Aufsätze dieses Bandes wollen ihren begrenzten Beitrag leisten zu der Aufhellung der „Szene", des Raumes innerhalb dessen Wagner und sein Jahrhundert (also auch unser Jahrhundert) sich auseinandersetzen, sich zusammenfinden. In ihrem Zentrum steht der bisher unveröffentlichte Essay über die „Mittler des Mittelalters". Diese bestimmten Stoffen der mittelalterlichen Literatur und ihrer Tradierung, Angleichung und Umwandlung gewidmete Studie geht aus von der Fundamentalüberzeugung der philologisch-historischen Wissenschaft: daß mehr über die Eigenart eines Gegenstandes wie eines Kunstwerks wisse, wer dessen Vorformen und Geschichte kennt, wer die Stufen seiner Entstehung, die Phasen seiner Veränderung, den Prozeß seiner Anverwandlung in Abstoßung und Annahme verfolgt hat. So ist etwa ein Text immer auch eine Auseinandersetzung mit seinem Vor-Text, seiner Vorlage, – und sei sie auch materiell nicht mehr greifbar.

Wer mit gieriger Hand nach Schätzen gräbt, wird nicht froh sein, wenn er Regenwürmer findet, wohl aber wenn er Quellen freilegt, Stufen und Vorstufen ausfindig macht, deren Natur die Natur des schöpferischen Vorgangs aufdeckt, – jenes Vorgangs, an dessen Ende das Kunstwerk steht, um das es der wissenschaftlichen Bemühung zu tun ist. Denn auch ein ästhetischer Gegenstand eröffnet sich in seinen ästhetischen Valeurs nur dem, der nach seinen Voraussetzungen fragt und nach seinen Folgen und ihn so in das Koordinatengitter seiner jeweiligen Gegenwart und Wirklichkeit einspannt.

Die Technik, die ich anwende bei diesem Versuch, bestimmte Arten der Übernahme und Anverwandlung mittelalterlicher Themen zu verfolgen, gleicht dem Verfahren, das man gelegentlich benutzt bei der Betrachtung von freistehender Rundplastik. Da ist um das Denkmal ein Gerüst aus Treppen und Gängen gezogen, das dem Beobachter erlaubt, es aus allen Perspektiven der Dreidimensionalität zu erfassen. In unserem Falle ist das Denkmal der „Tristan". Die betrachtenden Perspektiven gehen aus von den Punkten Hans Sachs, Richard Wagner und Thomas Mann. Bei rechter Anwendung der Methode werden sowohl der Gegenstand wie seine Verarbeiter sich wechselseitig verständlich machen.

Der Gegenstand, dessen Natur ja alle Methode jeweils bestimmt, forderte in unserem Falle dann eine Erweiterung, eine Verschränkung des Verfahrens. Nicht nur haben Hans Sachs und Wagner den „Tristan" aufgenommen, sondern es ist der eine Aufnehmende dann wiederum zum Objekt des anderen Aufnehmenden geworden, der „Tristan"-Autor Hans Sachs wurde vom „Tristan"-Autor Wagner rezipiert, an- und umverwandelt. So wuchs diese der „Tristan"-Rezeption durch drei große Künstlerfiguren gewidmete Studie über ihren ursprünglich gezogenen Rahmen hinaus und schloß notwendig die Umwandlung des Umwandlers ein: die Erschaffung Hans Sachsens durch Richard Wagner in seinen „Meistersingern".

In diesen Artikel sind zwei Vorarbeiten eingegangen, dazu

wie zum ersten Druckort der ihn begleitenden Aufsätze siehe das Verzeichnis der „Nachweise".

Insgesamt verstehen sich die hier versammelten Aufsätze als Vor- und Begleitstudien zu einer Arbeit über den „Traurigen Gott", über Richard Wagner als Mittler des Mittelalters und seiner selbst, die ich noch im Laufe dieses Jahres und gleichfalls im Beck-Verlag hoffe vorlegen zu können.

Der Magier und sein Mythos

I.

Das Jahrhundert der Revolution und Restauration. Das Jahrhundert der großen Prospekte und Maschinen. Das Jahrhundert des Materialismus und des Materials. Das Jahrhundert der Todeserklärung Gottes. Das Jahrhundert des Dramas. Das Jahrhundert des Bürgers und seiner Überhebung. Das Jahrhundert des Künstlers und seiner Vermessenheit. Das Jahrhundert des großen Pomps, der hohen Pose, der schimmernden Wehr. Das Jahrhundert der Nationen und ihrer schneidigen Hoffahrt. Das Jahrhundert der sozialen Frage. Das Jahrhundert der Redouten, der Paraden, der Soireen, des Bal paré der großen Selbstpräsentation. Das Jahrhundert, um es kurz zu sagen, Richard Wagners.

Es war aber das Neunzehnte Jahrhundert auch die Welt, die von den Impressionisten dargestellt wurde, fragil und verschwebend. Die Welt Baudelaires, Rimbauds, der frühen Todessehnsüchte, das Jahrhundert Maeterlincks und Huysmans'. Das der lähmenden Schwermut und der sanften Melancholie, der verlorenen Hoffnungen, der preisgegebenen Ideale. Das der Drogen, das der verselbständigten Schönheit. Das Jahrhundert der Angst und des Todes und der Todesangst, die nunmehr ohne Gott bewältigt werden sollten. Das Jahrhundert, das *sein* Ende meinte, wenn es vom Ende eines Jahrhunderts sprach: Fin de siècle. Das Jahrhundert, um es kurz zu sagen, Richard Wagners.

Übrigens das Jahrhundert von Karl Marx (er starb einen Monat nach Wagner) und Schopenhauer, von Nietzsche und Bakunin, von Hebbel und Otto Ludwig (sie wurden im gleichen Jahre wie Wagner geboren), von Feuerbach und Makart, von Meyerbeer und Berlioz, von Schumann, Liszt, Brahms und Bruckner; das Jahrhundert Bismarcks und der Napoleone, das Herweghs und Lasalles und Gottfried Kellers, das der Sozialistengesetze, des Unfehlbarkeitsdogmas, der „Villa Hügel", der Fürstenromantik Elisabeths von Österreich und Ludwigs von Bayern. Um es einmal mehr auf eine kurze Formel zu bringen: Das Jahrhundert Richard Wagners.

Der Dichter, der das Neunzehnte Jahrhundert in das Zwanzigste überführte, Thomas Mann also, hat bekannt, daß die Passion für Wagners zauberisches Werk ihn lebenslänglich nicht verlassen habe. Und er hat von solcher Passion, die Leid und Leidenschaft zugleich war, Zeugnis abgelegt. Wie steht es um das Zeugnis für, das Zeugnis wider Wagner im Zeitalter nach Thomas Mann?

Es gibt geschichtliche Gestalten, die das Glück, insbesondere aber das Unglück haben, weit im Vorfeld der Tore des rationalen Richtspruchs schon beurteilt, schon geurteilt zu werden. Deren Werk und Person in derart heftigem Maße das große Ja oder das große Nein provoziert, daß die Welt nunmehr geteilt und kaum Hoffnung auf Gerechtigkeit ist. Ein Verfahren, das Christen und Nichtchristen, Marxisten und Nichtmarxisten zur Folge hat. Oder Wagnerianer und Antiwagnerianer. Glaubensspaltungen aber und Glaubenskämpfe, sie setzen ein hohes Maß an Gemeinsamkeit unter den Kämpfern voraus.

II.

Hier schliess' ich ein Geheimniss ein,
da ruh' es viele hundert Jahr':
so lange es verwahrt der Stein,
macht es der Welt sich offenbar, –

diese Verse, am 22. Mai 1872 in den Grundstein des Festspielhauses eingemauert (Wagners Geburtstag, und es regnete auf die Versammlung der Patrone und auf den großen Gründerhelden), sind heute noch „verwahrt". Wie aber steht es um das „Geheimniss" und seine Kraft, sich der Welt „offenbar" zu machen?

Seit Hanslick und Nietzsche ist Wagner eine Sache des Bekenntnisses. Seit den ersten Kritiken, Pamphleten, Jünger-Prophetien und Gegner-Manifesten ist das Urteil nicht frei, sondern eingebunden in vorgegebene oder tatsächliche Parteilichkeit.

Bis auf den heutigen Tag wird, wer die revolutionäre Harmonik oder die Absetzung der Tonarten-Diktatur oder die in regungslose Aktion überführte Gewalt der Seelen-„Handlung" im „Tristan" (vielmehr in „Tristan und Isolde") darlegt und anerkennt, gestempelt als „Wagnerianer". Als ob die Registrierung einer historischen Leistung zu tun hätte mit jener rauschhaften Solidarität und willenlosen Hingabe, die aus Bewunderern Jünger macht und aus Jüngern Ideologen. Ideologen freilich sind Menschen-Fresser. Wagner übrigens, nicht eigentlich ein Ideologe, – ein Menschen-Fresser war auch er. Was hingegen die „Wagnerianer" anbetrifft, so ist ihr wehrhaftes Heer geschmolzen, nicht einmal die engere, den Gral einst so herrisch hütende Wagner-Familie wäre heute mit dem Begriff angemessen bezeichnet, der große Magier ist weithin entzaubert, die Sicht ist unverstellt, man kann Gebrauch machen von der freien Perspektive. Welcher Art also ist die Offenbarung des Geheimnisses Wagner?

Wer nach Bayreuth fährt, ist damit längst noch nicht Wagnerianer. Daß viele nach Bayreuth fahren, weil sie ihren Auftritt brauchen und die große *Mise en scène* schick finden, bleibt peinlich, – ist aber Wagner so wenig anzulasten wie etwa Salzburgs Flitter-Szene dem großen Mozart. Dabei war es einst so anders gedacht. Ein viertel Jahrhundert vor Bayreuths Eröffnung schreibt Wagner aus Paris an den Maler Ernst Benedikt Kietz:

„Ich denke daran, den *Siegfried* [gemeint ist *Siegfrieds Tod*, die endliche *Götterdämmerung*] noch in Musik zu setzen, doch bin ich nicht gesonnen, ihn aufs Geradwohl vom ersten besten Theater aufführen zu lassen: im Gegentheile trage ich mich mit den allerkühnsten Plänen, zu deren Verwirklichung jedoch nichts Geringers als mindestens die Summe von 10000 Thaler gehört. Dann würde ich nämlich hier, wo ich gerade bin, nach meinem Plane aus Brettern ein Theater errichten lassen, die geeignetsten Sänger dazu mir kommen und Alles nöthige für diesen einen besonderen Fall mir so herstellen lassen, daß ich einer vortrefflichen Aufführung der Oper gewiß sein könnte. Dann würde ich überall hin an diejenigen, die für meine Werke sich interessiren, Einladungen ausschreiben, für eine tüchtige Besetzung der Zuschauerräume sorgen und – natürlich gratis – drei Vorstellungen in einer Woche hintereinander geben, worauf dann das Theater abgebrochen wird und die Sache ihr Ende hat."

Was jedoch Mozart angeht: „Nie und nimmer können gewisse Dinge von Mozart überboten werden", notiert Cosima ein Urteil Wagners (in ihrer Sprache, gemeint ist: „Mozarts"). Und Wagner, wenn er schon bewundert (er tut es wohl häufiger als er eingesteht), wird dann sehr eindeutig: Da ist das Andante der G-Dur Symphonie Haydns, „das zum Schönsten gehöre, was je geschrieben worden; und wie das klänge!". Da ist das endgültige Wort, wenige Wochen vor dem Tode, über die Fugen Bachs: „Das Chaos wird hier zur Harmonie". Da ist die lebenslange hingerissene Bewunderung für Beethoven, für die „Achte" und die „Neunte" vor allem. Die Großen unter den Zeitgenossen freilich hat er nicht mit eben der Schärfe durchschaut wie die Kleinen: Schumann fand er „schwülstig" (das Ehepaar Schumann dachte ähnlich abschätzig von ihm), Brahms und Bruckner hat er nicht aufnehmen können, da ist etwas von dem abwehrenden Genieschutz im Spiele, wie Goethe ihn bis zur grausamen Perfektion entwickelt hat. Doch ist damit die Frage nach Wagners Wirkung im hundertundersten Jahre Bayreuths nur noch einmal gestellt.

III.

Die Antwort ist weniger kompliziert als die sie ausmachenden Sachverhalte. Und zwar ist sie zwiefach:

Wagner hat aus der Musik des 19. Jahrhunderts (und das heißt: auch der voraufgehenden Jahrhunderte) die des zwanzigsten gemacht. Harmonik, Sonatenform, Opernstruktur, Orchesterbehandlung, Konzertwesen, – all dies war nach Beethoven und Schubert einem gewissen Stillstand, einer starren Statik anheimgegeben, und Wagner hat die Tugend des Revolutionärs, nämlich die Ungeduld, mit der Tugend des Konservativen, nämlich der Beharrlichkeit, verknüpft und die ‚neue Musik' erfunden. Das ist von der Musikwissenschaft längst erkannt und dargestellt und lange schon dem Streit um Wagner entzogen. Nur haben es die etablierten Musikfreunde, die kulinarischen Dauerabonnenten der orchestralen Festauftritte in ihrer tonschlürfenden Bewußtlosigkeit noch nicht gemerkt und meinen, Wagner „ablehnen" heiße auch, ihn aus der Musikgeschichte tilgen. Dabei beginnt die Musik ihrer, der gegenwärtigen Zeit vor einhundertzehn Jahren, mit der Münchener Uraufführung des „Tristan" am 10. Juni 1865. Vor einem Publikum, dem man hohen Respekt angesichts des großen Erfolgs nicht vorenthalten kann: Wie muß den Zeitgenossen geklungen haben, was heute noch so manches Ohr verletzt.

Daß aber der Musiker Wagner es so schwer hatte und sich bis heute seiner jeweiligen Jockey-Clubs erwehren muß, hängt zusammen mit, also sagen wir es so primitiv wie es wohl ist: mit dem Menschen Wagner.

Er ist der erste Künstler der Moderne. Die bis zum heutigen Tage vollkommenste Inkarnation des reinen, d. h. puren Künstlertypus. Will sagen: Der erste, der radikal und konsequent, ohne Einschränkung, ohne Konzession und ohne Skrupel alle Mittel und Waffen, Genie und List, Charme und Brutalität, Geist und Verstellung, Willkür und Devotion, Haß und Liebe einsetzt zu dem einzigen Zwecke: dem der Verwirklichung seiner Person = seines Werks. Damit aber eben den aufgezählten und leichthin zu vermehrenden Größen ihre angestammte moralische Qualität nehmend. Ein Renaissance-Mensch im bürgerlichen Zeitalter; das jedoch heißt, in einem Zeitalter, das nunmehr den Künstler nicht länger fesselt durch das Mandat bloßer Schönung höfischer Konventionen. Ein Gewalt-Täter, dem sich alles was er berührte in Materie verwandelte, die ihm freundlich oder widrig sein mochte, die indes allemal eine spezifisch auf ihn bezogene Qualität hatte. Ein Monstrum, das zu seiner Erhaltung Menschen-Zoll forderte, – und erhielt. Ein von Geldnöten ständig Verfolgter, von Gläubigern Gejagter, von Gläubigen Unterstützter, der jedwede Begegnung seiner vielverschlungenen Wege als Bestandteil seiner Werk-Verwirklichung begriff und behandelte. Ein Besessener wahrlich, und verfolgt man ihn durch die Jahre, bleibt es wunderbar, wie er den Menschen untreu war und unbeirrt sich, das heißt seinem Werk treu blieb. Ein Menschen-Fresser, der in sich hineinhäufte was andere ihm gaben: Geld vor allem; aber auch Behausung im wörtlichen wie übertragenen Sinne, Hilfe, Trost, und Bewunderung, die er so gierig vereinnahmte wie Gold. Die Ritters und die Willes, die Wesendoncks und die Taylor-Laussots, Liszt und dann Fürstlichkeiten hier und Fürstlichkeiten da, bis der Schuldenflüchtige, somnambul fast, den Inbegriff des Mäzens, das Modellexemplar der Künstlerhilfe schlechthin findet, Ludwig II., König von Bayern. Einen Wahnsinnigen, sehr konsequent wieder, denn der Bedarf dieses Künstlers sprengte durchaus die Maße des Normalen. Einen Traumtänzer mit schmachtenden Gefühlen und absolutistischen Allüren: Er hat Wagner ein königliches Vermögen geopfert im Laufe von neunzehn Jahren, – und sie haben es sich nicht leicht gemacht, der König und sein Musiker. Immerhin, den leichteren Part hatte der Souverän, er konnte geben und er gab sehr wohl in dem Gefühl, durch sein Amt zu solcher Verwirklichung eines Geniestreichs verpflichtet zu sein. Der andere aber, der Empfangende, der sich kraft seines Geniebewußtseins dem kranken Schwärmer und seinen furchtbaren Unberechenbarkeiten unendlich überlegen fühlte, war genötigt, immer wieder im Stile liebeswonnigen Werbens und byzantinischer Devotion einen Bund zu erhalten, dessen Brüchigkeit ja Verlogenheit ihm sehr wohl bewußt war und den er, die „Nibelungen" mußten vollendet werden und auch der „Parsifal", dennoch krampfhaft-sentimentalisch-kalkulatorisch immer wieder erneute.

Was aber der König für die Möglichkeit der Inszenierung des äußeren Lebens bedeutete, das war Cosima für die Erhaltung von dessen innerer Substanz. Dieses Leben, das ja nicht nur gezeichnet war durch eine absurde Beziehung zum Geld, zu dessen Hereinnahme und Verschwendung (Otto Wesendonck: „Soviel ist klar: ihm selbst darf kein Geld in die Hand gegeben werden"); sondern das ein Leben voll auch der körperlichen Gebresten, Schmerzen, Beschwerden war: ein Leben der „Nervenleiden", wie man damals sagte, Gesichtsrose und Gastritis, und immer wieder Kuren, die verschlimmerten was zu bessern sie gedacht waren, und vor allem die Herzbeschwerden, deren Ursache man damals nicht kannte und deren Ernst ja doch erst deutlich wurde, als dieser Herzkranke nach vielen qualvollen und wohl unterschätzten Anfällen, noch nicht siebzigjährig, in Venedig am 13. Februar 1883 dem gemeinsamen Mittagstisch fernbleibt und in seinem Arbeitszimmer stirbt. Dieses Leben am Leben zu halten war anfangs Minna Wagner geb. Planer so nötig wie die Freundinnen, mochten sie nun den Titel der Geliebten verdienen oder nicht; und seine endliche Stabilisierung ist Cosimas alleiniges Verdienst. Das ungeheuerliche Skandalon dieser Verbindung von ihren ersten Anfängen bis zur Heirat 1870 ist wieder von merkwürdiger Konsequenz, ein Liebes-Drama, eher der Literatur als dem ‚bürgerlichen' Neunzehnten Jahrhundert entnommen. Was da angelegt ist in Wagners eigener, nicht durchaus erhellter Herkunft; angelegt in Minna Planers vorgeblich „jüngerer Schwester" Natalie, die doch ihre Tochter aus frühem Unglück war; in Franz Liszt und seinen bizarren Amouren und Strindberg-artigen Verbindungen mit der Gräfin d'Agoult und der Fürstin Sayn-Wittgenstein: das alles kam in seiner Nornenhaftigkeit und handfesten Tristan-Isolde-Symbolik fast allzu plan auf Wagner zu, als er die Ehefrau seines großen Schülers Hans von Bülow, eben die Tochter Liszts und der Marie d'Agoult, an sich nahm. Cosima aber wurde das Maß, wurde die Gewähr dieses lodernden Lebens, und wenn sie das miteinander waren, was man ‚glücklich' nennt, dann waren sie es, jeder auf seine Weise, unter großen aber bewußt eingebrachten Opfern.

IV.

Sacro egoismo: das wäre eine allzu idyllische Charakterisierung, da ist nichts „heilig", da ist eine versehrende Besessenheit, die jedermann zum Gerät dieses einzigen Willens macht, zum mitagierenden Statisten, zum mitschaffenden Geschöpf. Peter Cornelius, aus dessen „Barbier von Bagdad" man 1858 noch parodistisch Wagner kritisierende Töne heraushörte, schreibt im Januar 1865 aus München nach Wien an seinen Freund Standhartner:

„Wagner weiß und glaubt es nicht, *wie er anstrengt, – in dieser ewigen Hitze*, diesem Verschmachten seit dem ‚unseligen Trank'. (. . .) Von *sich* sprechen, lesen, singen muß unser großer Freund, sonst ist ihm nicht wohl. (. . .) Und sagen *kann* ich ihm das nicht. Es wäre ungerecht, grausam – er versteht es nicht – ahnt nicht, wie mir solches Zusammensein Mark aus der Seele saugt, wie ich die Einsamkeit, vor allem aber die Freiheit brauche."

Diese monströse Sicherheit „in Betreff" (so sagt Wagner gerne in seiner merkwürdigen, oft sperrig-gestelzten, verqueren, magistralen und dann plötzlich die Genauigkeit und Schönheit von Poesie ausstrahlenden Sprache) – in Betreff also seiner Person, ihres Anspruchs, ihrer Bedeutung und, anders kann man es nicht sagen, ihrer ‚Sendung'. Selbst das furchtbare europäische Ereignis des deutsch-französischen Krieges von

1870 ist für seinen monologisierenden Ich-Wahn glückhafte Verheißung, ist Teil des persönlichen Geschicks: „selbst dieses Schrecklichste, dieser Krieg, wird nach meinem Glauben segensreich für mich ausfallen". In solchen Raum gehört wohl auch das große ahnungsvolle Wort, das Cosima aufzeichnete und das Wagner nach dem plötzlichen und so schicksalsmächtig wirkenden Tode seines ersten Tristan, Ludwig Schnorrs von Carolsfeld, formuliert hat: „Die Kunst ist vielleicht ein großer Frevel." Insofern, als sie von gewalttätigem Alleinanspruch besessen, von einer tödlichen Konsequenz in der Verwirklichung ihrer selbst ist. Vielleicht auch, weil sie Wirklichkeiten aufdeckt, aufreißt, die zu ertragen dem Menschen nicht gegeben ist. Platens berühmtes „Tristan"-Gedicht deutet es an:

„Wer die Schönheit angeschaut mit Augen,
Ist dem Tode schon anheimgegeben . . .".

Als Frevel auch mag es dem zwanghaft Frevelnden zuweilen erschienen sein, ein „Gedicht" zu verfassen und in Musik zu setzen, das Anfang und Ende der Welt vorführt. Konzipiert vom Ende her, von „Siegfrieds Tod", der dann zum Tode auch der Götter führt. An allem Anfang aber einsetzend mit den berühmten, das ungeheure „Geheimnis" einsingenden 162 Takten des Es-Dur-Akkords, den Wagner am 5. September 1853 in La Spezia empfing: so genau ist der Schöpfungsakt der Welt zu datieren, es war auf hartem Bette im somnambulen Nachmittags-Zustand, und der Körper war zermartert von Seekrankheit und Kopfweh, als der Geist in die Ewigkeiten der „Rheingold"-Fluten eintauchte. Die letzten Noten dann, das Weltende endend, am 21. November 1874 in *Wahnfried* gesetzt, und dann folgt noch der eine Satz „Ich sage nichts weiter!". Einundzwanzig Jahre dazwischen, die ihrerseits sind wie ein Jahrhundert, wie das Jahrhundert zu dem sie gehören, und ein bizarres Stück Menschengeschichte als Menschheitsgeschichte.

V.

Über dem Giebeldreieck des Portals von *Haus Wahnfried* brachte der Historienmaler Robert Krausse ein Sgraffito an. Die Idee verdankt sich der Regisseurin Cosima. Das Kunstwerk soll das „Kunstwerk der Zukunft" darstellen. Wie offenbart es sich? In der Mitte die aufragende Gestalt Wotans als Wanderers, zu Seiten des Kopfes die ihm zuraunenden Raben. Seine Weisheit ist die des *Germanischen Mythos*, und sie gibt er weiter an zwei Frauengestalten: zur Linken empfängt die Personifizierung der *Antiken Tragödie* die Kunde, zur Rechten die der *Musik*. Deren ausgestreckte Rechte aber, beschützend und empfehlend, breitet sich über Klein-Siegfried in voller Rüstung. So kann man's sehen, so beschreibt Wagner die Allegorie dem König, der ihm das Haus geschenkt hat: „Ich glaube, das Ganze wird vortrefflich gerathen." Man hat also zu deuten: Die weltenaufschlüsselnde Gewalt des germanischen Mythos teilt sich mit auf dem Wege über die gestaltende Kraft der antiken Tragödie (Nietzsche war nahe) und die der Musik (Wagners natürlich). Ihrer Hut ist der sieghafte Mensch anheimgegeben, der mit schlafwandelnder Sicherheit seiner selbst inne ist (s. Cosimas Tagebuch vom 19. 4. 1869).

Das mag man hinnehmen oder nicht, – faszinierend und bestürzend in seiner grandiosen Naivität ist allemal die Selbstverständlichkeit, mit der die Familie Wagner sich und die Ihren identifiziert mit den Weltenkräften. Denn die Gestalten sind zwar idealisiert, tragen aber durchaus individuelle Persönlichkeits-Züge: *Mythos Wotan* ist dem toten Sänger Ludwig Schnorr nachgebildet, und die *Tragödie* trägt die Züge der Schauspielerin Schröder-Devrient. In der *Musik* jedoch erkennt man Cosima wieder, und *Siegfried* ist das Abbild des Sohnes Siegfried. Weltenwaltende Kräfte bewohnten *Wahnfried*, der sie aber bewegte, entzog sich hier aller Abbildung.

VI.

Es hat keiner Wagner schärfer gesehn, klarer beschrieben, definitiver beurteilt als Nietzsche. In Liebe wie im Haß, und dechiffriert man, was von der einen wie von dem anderen verschlüsselt wurde, so bleibt die Wahrheit über Wagner. Die mehr ist als die über den „Fall". Wahrheit, wie sie sich in Nietzsches Deutung des „romantischen Pessimismus" andeutet, in der Aufdeckung des Kreatürlich-Leidenden, des Mitleidens, des Mitleids in Wagners Musik, – eine Substanz, die nicht gehört hat und nicht hört, wer den Germanen-Mummenschanz, das kameralistische oder verwegene Stabreim-Pathos, die sentimentale Gestik für den Kern dieser Werke hält: Welch einem Mißverständnis saßen Hitler und die Seinen in Bayreuth auf! Freilich, Wagner war von der Art, die Mißverständnisse zwanghaft provoziert, und selbst hatte er zu gutem Teil Schuld daran, da er, um es mit Nietzsche (im Zweiten Buch der „Fröhlichen Wissenschaft") zu sagen, seinem „Charakter" und dessen monumentalen Visionen eher nachgab als seinem „Geist" und dessen behutsam-zärtlicher Seelen-Kundigkeit:

„Da ist ein Musiker, der mehr als irgendein Musiker darin seine Meisterschaft hat, die Töne aus dem Reiche leidender gedrückter, gemarterter Seelen zu finden und auch noch den stummen Tieren Sprache zu geben. Niemand kommt ihm gleich in den Farben des späten Herbstes, dem unbeschreiblich rührenden Glück eines letzten, allerletzten, allerkürzesten Genießens, er kennt einen Klang für jene heimlich-unheimlichen Mitternächte der Seele (. . .); er schöpft am glücklichsten von allen aus dem unteren Grunde des menschlichen Glückes und gleichsam aus dessen ausgetrunkenem Becher (. . .); er kennt jenes müde Sich-schieben der Seele, die nicht mehr springen und fliegen, ja nicht mehr gehen kann; er hat den scheuen Blick des verhehlten Schmerzes, des Verstehens ohne Trost, des Abschiednehmens ohne Geständnis; ja als der Orpheus alles heimlichen Elends ist er größer als irgendeiner . . .".

Der Orpheus alles heimlichen Elends, das hat wenig gemein mit dem gängigen, dem blech-begleiteten Wagner-Bild, das auch ein Selbstportrait war. Daß die Deutschen von ihm immer „einen Weltuntergang in jeder Note“, immer das „Erhabene“ wollten, hat er beklagt. Aber er hat es ihnen eben auch gegeben. Vielleicht, daß sie heute das andere von ihm wollen, vielleicht, daß er ihnen heute das andere gibt.

Mittler des Mittelalters

Ein Essay in einundzwanzig Abschnitten über
Hans Sachs, Richard Wagner, Thomas Mann
und den „Tristan“

I. Thomas Mann als Wolfram von Eschenbach

Im Sommer 1901, kurz vor Erscheinen also der „Buddenbrooks“, verbrachten die Brüder Thomas und Heinrich Mann einige erholsame Wochen in Mitterbad bei Meran. Eine Art Kuraufenthalt bei dem befreundeten Arzt Dr. v. Hartungen. In einem der Notizbücher Thomas Manns findet sich nun ein Gelegenheitsgedicht auf diese Ferien, dessen schlechterdings monumentale Banalität jeden anderen als Verfasser vermuten ließe – gäbe es nicht schließlich in der letzten Strophe die Autornennung, die keinen Zweifel erlaubt. *Uns* freilich sagt sie mehr als den Hörern damals:

Nun will ich aber heben an,
Von Mitterbad will ich sagen,
Und wie sich dort fünf Wochen lang
Mein Leben zugetragen.

Ich stund wohl auf bei guter Zeit
Den Kaffe nahm ich im Freien
Dieser war gut, die Butter war frisch
[fehlt ein Vers]

Darauf bin ich mit Nagelschuhen und Stab
Im Hochwald spazieren gegangen;
An den Ruhebänken da und dort
Die lieblichsten Verse prangen.

Im Bauch entsteht Dir bei ihrem Genuß
Ein eigentümliches Grimmen;
Besonders die auf „St. Helena“
Gehören zu den schlimmen.

Um zwölf ein halb Uhr war table d'hôte:
Zwei Gänge und süße Speise;
Ich muß die Küche von Mitterbad
Loben in jeder Weise.

Oft stiegen auf die Berge wir
Zum Wohle unserer Lungen;
Die Laugenspitze erklommen wir da
Mit dem Doctor von Hartungen.

Am Nachmittag ward dem Kegelspiel
Die allereifrigste Pflege;
Nur einmal nahm ich Teil daran,
Dieweil ich sonst zu träge.

Um sieben Uhr ward zur Nacht gespeist:
Ein Fleischgericht nebst Käsen;
Auch diese Mahlzeit ist auf mein Wort
Stets lobenswerth gewesen.

An Kaisers Geburtstag war Festbankett,
Es gab die schönsten Guirlanden,
Und Fräulein Bertha erschien in Weiß,
Was ihr sehr gut gestanden.

Am Abend war großes Feuerwerk:
Welch patriotisches Knallen!
Zumal die Raketen haben mir
Ganz ungemein gefallen.

Der Aufenthalt in Mitterbad
Ist Jedem zu empfehlen;
Mich hat er gelabt und frisch gestärkt
Den Leib und auch die Seelen.

Nun geht es an ein Lebewohl,
Mir wird wohl weh und bange.

Ich bin benannt Herr Thomas Mann
Und weiß ein Theil vom Sange.[1]

Das klingt holperig, ungefüge, abgeschmackt. Der Dichter, wenn er denn auch hier so heißen soll, hat das gewußt – und hat sich, Proteus und Histrione der er schon von Anfang an war, eine Maske vorgebunden, die zumindest partielle Entlastung verheißt: er schreibt in altdeutscher Manier. Schon der Einsatz: „Nun will ich aber heben an" ist reines Mittelhochdeutsch *(Nû wil ich aber heben ane),* in neuhochdeutsche Lautung transponiert. Und so tönt es – wenn auch nicht durchgehend – weiter: „von Mitterbad will ich sagen" – die Erzählformel kommt ebenso bewußt altdeutsch daher, wie im Verein mit ihr die Präterita „stund" (Strophe 2) und „ward" (Strophen 7 und 8) bewußt altertümeln. Dem entsprechen das archaisierende „bei guter Zeit" (Strophe 2) und „auf mein Wort" (Strophe 8) und zum Ende das volksliedhafte „Mir wird wohl weh und bange" vor der Dichternennung „Ich bin benannt".

Mit solchen Nachweisen ist nicht viel getan, sie bezeugen, daß da einer bei Gelegenheit von Gelegenheitsversen durch die Blume, durch ein bestimmtes Stilmuster spricht. Die Demaskierung bringen die beiden letzten Verse – freilich nur für den, der die „Parzival"-Verse des berühmten Einschubs vor dem dritten Buch von Wolframs Epos im Ohr hat. Da deutet der alte Dichter mit durchaus ungewöhnlicher Imponiergebärde und auftrumpfendem Selbstbewußtsein auf sich und seine Fähigkeit hin:

ich bin Wolfram von Eschenbach
unt kan ein teil mit sange.

Das heißt: „Ich bin Wolfram, und ich versteh einiges von der Dichtkunst". Dabei bedient sich der mittelhochdeutsche Dichter eben jener Stilfigur, die der späte Nachfolger in solchem Maße zur Meisterschaft entwickeln sollte, daß man ihn geradezu als den Dichter der Ironie, als den „ironischen Deutschen“ gekennzeichnet hat. In der mittelalterlichen Poetik reden wir bei dieser Stilfigur der vergrößernden Verkleinerung von „Litotes“: „Ich weiß ein Theil vom Sange“, das bedeutet auch ohne übersetzende Verdeutlichung noch heute das, was es mittelhochdeutsch hieß: „Es ist weißgott nicht wenig, was ich von der Sache verstehe“.

Wie kommt es 1901 zu dem Wolfram-Zitat und seiner (durchaus beträchtliches Selbstbewußtsein, wenn auch ‚ironisch‘ gebrochen, verratenden) Nutzung? Im Juni 1901 hatte Thomas Mann die Novelle „Tristan“ vollendet, anschließend arbeitete er an der Novelle „Gladius Dei“[2] und es mag der Gedanke erlaubt sein, daß deren „mittelalterliche“, sich im asketischen Rigorismus ihres mönchischen Helden offenbarende Substanz die Erinnerung an den großen Zauberer der mittelalterlichen Epik Wolfram belebt hat. Immerhin aber mußte da eine latente Gedächtnismasse aktiviert werden können, – und es gab sie. Damals war sie rund sechs Jahre alt.

II. Thomas Mann als Student des Mittelalt9rs

Nach „Erreichung des Schulbildungszieles, mit dem ich mich beschied“[3] – das ist wahrlich wiederum Ironie: denn Thomas Mann wurde Ostern 1894, „knapp neunzehnjährig, in die Obersekunda versetzt, erhielt sein Einjährigen-Freiwilligen-Zeugnis und ging von der Schule ab“[4]. Und machte seines Lebens erste Reise, von Lübeck nach München, der Mutter und den Geschwistern nach, nahm eine Stellung an „als unbezahlter Voluntär bei der Süddeutschen Feuer-Versicherungsbank A. G.“, gab sie aber nach wenigen Monaten schon wieder auf („Eine sonderbare Episode. Unter schnupfenden Beamten kopierte ich Bordereaus und schrieb zugleich heimlich an meinem Schrägpult meine erste Erzählung)“[5]. Was aber macht einer, der durchaus sich im Unklaren ist über seine Berufspläne? Er behauptet, „Journalist“ werden zu wollen und läßt sich an der Universität inskribieren. In diesem Falle an den beiden Münchner Hochschulen, „der Universität und dem Polytechnikum"[6], als „Student lebend, ohne es rite zu sein"[7]. Der Niederschlag dieses Wintersemesters 1894/95 ist ein Kollegheft, offenbar das einzig erhaltene, das Mendelssohn in Auszügen bekannt macht. Es verfolgt die nationalökonomischen, kunsthistorisch-ästhetischen und die germanistischen Vorlesungsstunden des Gasthörers Mann. Als Germanist lehrte seit 1869 an der Technischen Hochschule der Dichter, Übersetzer und Mediävist Wilhelm (seit 1892: von) Hertz, und Thomas Mann hörte bei ihm ein Colleg über „Höfische Epik". Hier stößt er wie von ungefähr auf Elemente, die ihm wesensgemäß sind und deren Partikel ihn nie wieder freigeben werden, die er nie wieder freigeben wird: Da ist die Wolfram-Wagner-Welt von Parzival und vom Gral; da ist die Gottfried-Wagner-Welt von Tristan und Isolde; da ist die Geschichte von dem *Guoten sündære* Gregorius, die er, ein anderer Hartmann, fünfundfünfzig Jahre später neu und höchst reizvoll wiederbeleben wird.[8] In welchem Maße ihn Hertzens Vorlesung gefesselt und bewegt haben muß, erhellt aus dem einfachen Umstand, daß er in der sein Münchener Semester beschreibenden Passage des „Lebensabrisses" von 1930 nur einen seiner Professoren auszeichnet dadurch, daß er ihn mit Namen nennt (wenngleich in falscher Schreibung): „Besonders fesselte mich ein Kolleg über ‚Höfische Epik', das der Dichter und Übersetzer aus dem Mittelhochdeutschen Wilhelm Herz damals am Polytechnikum las."

Bei dieser Gelegenheit wird es gewesen sein, daß der Wolfram-Kenner Hertz die knorrig-fränkische aber auch pathetische Selbst-Vorstellung des alten Helden-Dichters dem künftigen Bürger-Dichter eingepflanzt hat. Das hat er nicht vergessen: „Ich bin benannt Herr Thomas Mann/Und weiß ein Theil vom Sange".

III. Drei Dichter vom fränkischen Stamme: Thomas Mann – Hans Sachs – Goethe

Thomas Mann als Mittelalter-Mittler? Das war er nicht. Er war ein klassischer Enkel (und das ohne die Weh-Gebärde), war ein geborener Sohn des Neunzehnten Jahrhunderts, das in ihm noch einmal seine modellhafte Repräsentation fand: in dem Bürger-Künstler, dem Künstler-Bürger. Und das Jahrhundert übergab seine großen Vollender ihm, damit er sie als Summa weitergeben könne: Schopenhauer und Wagner, Tolstoi und Nietzsche; Religion, Mythos und Musik, transformiert in die intellektuelle Säkularisationsform Literatur. Auf Distanz gebracht – damit die Nähe nicht zur zerstörerischen Identifizierung werde – durch das Element der sogenannten „Ironie".

Auch wo er weiter ausschritt, in ferne Regionen und Zeiten: Zu Faustus und Gregorius, an Ganges und Nil, waren es die solchermaßen metaphorisch maskierten Themen und Probleme des Neunzehnten Jahrhunderts, die Thomas Mann aufgriff, bündelte oder auseinanderlegte, die er vorwies; es seinen Söhnen und Enkeln überlassend, sei's besiegeltes Erbe, verwalteten Nachlaß vorzufinden – sei's unaufgelöste Akkorde, Provokation, Irritation und Appell.

Kein Mittler also des Mittelalters, wie sein Bruder in fränkischer Vorzeit Hans Sachs. Denn aus Franken, so will es die Familien-Legende, kommt die Familie Mann:

„Ich bin Städter, Bürger, ein Kind und Urenkelkind deutsch-bürgerlicher Kultur . . . Waren meine Ahnen nicht Nürnberger Handwerker von jenem Schlage, den Deutschland in alle Welt und bis in den fernen Osten sandte, zum Zeichen, es sei das Land der Städte?"

Es war der Urgroßvater Thomas Manns, der knapp statuiert hatte: „Der Stamm ist aus Nürnberg."[9] Die Behauptung steht; offenbar hat der große Enkel ihr vertraut; sie definitiv zu belegen wird angesichts der weiten Verbreitung des Namens Mann nicht möglich sein.

Hans Sachs: über den er sich – wie denn nicht – natürlich auch geäußert hat, freilich eher beiläufig. Und zwar bei Gelegenheit der Schilderung des jungen Goethe, seiner kraftgenialischen Urfaust-Hans-Wurst-Possen-Periode:

„So war es Hans Sachs und seine schlichte Meisterlichkeit, sein didaktischer Realismus, sein Rhythmus und williger Reim, der diesen jungen Leuten zum ehrwürdigen Vorbild diente. Goethe ist dieser Liebe und Nachfolgerschaft niemals untreu geworden. Ein Teil seiner Natur, nicht der klassisch-europäische, aber der kerndeutsch-protestantisch-volkstümliche, stand immer in Wesensfühlung mit des Nürnbergers Geist und Form; noch die ‚Sprüche in Reimen' zeugen davon"[10]: Sie zeugen „davon", – nicht anders als das vor zweihundert Jahren, genauer: zu Sachsens zweihundertstem Todestag 1776 mit programmatischer Absicht verfertigte Gedicht „Erklärung eines alten Holzschnittes, vorstellend Hans Sachsens poetische Sendung" (in Wielands „Teutschem Merkur"), das wiederum nicht ohne Einfluß blieb auf jenen Sachs, der sich Wagner verdankt.

Ähnlich beiläufig, auch das nicht erstaunlich, räsoniert Thomas Mann über den Sachs, den ihm das Neunzehnte Jahrhundert, den ihm Wagner vermittelte: In dem großen Essay über „Leiden und Größe Richard Wagners" dienen die „Meistersinger" im wesentlichen nur dazu, den „lutherisch-gesunden" Kontrapunkt zu liefern für die romantische Todessehnsucht der „Tristan"-, die Erlösungsbotschaft der „Parsifal"-, die Weltenbau-Mystik der „Ring"-Musik: Die „Meistersinger" als das Deutsche in seiner biedermännischen, seiner populären, seiner bourgeois-demokratischen Spielart mit einer Beimischung pfiffiger Verschlagenheit und diesseitiger Banalität, Wesenszüge, wie sie den Nürnberger Meistern nicht minder zugehören als deren Meister, dem mit der Dürermütze.

Wenn nun Wagners Sachs in melancholisch-rüstiger Gelassenheit – aber doch unterschwellig vibrierend – Evchen darüber informiert, daß er klüger sei als König Marke und nicht dessen Glück anstrebe: „Von Tristan und Isolde weiß ich ein traurig Stück" (III, 4) – dann spielt Wagner ja nicht unverbindlich mit Bildungsbrocken in Sachsens gelehrter Schusterhand (und läßt dabei ja nicht etwa seinerseits unverbindlich im Orchester seinen „Tristan"-Akkord klagend aufbrechen). Sondern er weiß, daß Hans Sachs das traurig Stück wohl im Jahre 1551 kennengelernt hat (und zwar vermutlich aus einem frischen Wormser Neudruck des deutschen Prosaromans aus dem Jahre 1549 oder 1550[11]) und daß er es dann nach seiner Art sogleich in Reime modelte und aus ihm in acht Tagen fünf Meistergesänge machte (entstanden zwischen dem 4. und 11. Dezember 1551, und dazu gleichzeitig noch fünf weitere, andern Themen gewidmete), darin er einzelne Episoden traktierte:

„Tristrant der liebhabent" *in dem langen tone des Poppe;*
„Herr Tristrant im wald", *in dem senften tone des Nachtigal;*
„Her Tristrantz kampf mit Merhold", *in der kelberweis des Hans Heid;*
„Her Tristrant mit dem trachen", *in dem vergessen tone des Frauenlob;* und
„Her Tristrant im narren klaid", *in dem blauen tone des Regenbogen.*

Da er aber seines Nächsten Poesie nicht sehen konnte so wenig wie seine eigene, ohne ihrer zu begehren zum Zwecke ständiger Übernahme und Verarbeitung, maß er den Gegenstand ein Jahr später für die Bühne zu. Am 7. Februar 1553 beendete er die „Tragedia mit 23 personen, von der strengen lieb herr Tristrant mit der schönen königin Isalden, und hat 7 actus"[12].

IV. Zwei Brüder Mann und der Tristan-Stoff

Wer nun Hans Sachs als den Bearbeiter mittelalterlicher Stoffe vergleicht mit Fortsetzern eben dieser Stoffe in der Neuzeit: mit Geibel also oder Uhland, mit Hebbel oder Raupach, mit Jordan oder Ernst Hardt oder Max Mell oder aber mit Wagner, der muß sich einer fundamentalen, eben historischen Differenz bewußt sein.

Wenn einer der Neueren den Stoff übernimmt, umformt, verarbeitet, dann handelt es sich allemal um eine Ausgrabung, um eine Entdeckung, um die Wiedererweckung einer längst entschwundenen oder doch verblaßt geglaubten Sache. Ein archäologisches, ein historisches Unternehmen also – es mag sich das Denkmal dabei als noch so zeitlos gültig, als noch so lebhaft lebend erweisen.

Anders Hans Sachs. Ihm waren Tristan und Isolde eine verläßlich überkommene Geschichte seiner Zeit. Er war nicht Wiedererwecker und Neuentdecker, er war schlicht ein Auffangender und Weitergebender. Nicht handelt es sich bei ihm um Rekonstruktion und Reanimation, um Renaissance und Neubelebung aus forscherischem Drang, aus schwärmerischer Sehnsucht, aus Lust nach Geschichte und Mythos. Er war ja zu gutem Teil selbst noch dem Zeitalter angehörig, dessen Stoffe und Inhalte ihm hier zukamen, – dem Mittelalter. Er ist Schwellenfigur, er ist Angelpunkt, Übergang und Übergabe, seiner historischen Situierung nach also elementar anders zu sehen bei der Bearbeitung etwa der Tristan-Tragödie als 1923 die beiden Verfasser eines Film-Drehbuchs aus gleichem Stoff. Ihre Namen: Thomas und Viktor Mann.

Die Geschichte, eine übrigens bezeichnende Episode aus der Inflationszeit, ist reizvoll beschrieben von Viktor Mann in dessen Erinnerungsbuch „Wir waren fünf".[13] Viktor hatte seine berufliche Tätigkeit als landwirtschaftlicher Bankexperte in jener Zeit ergänzend aufgelockert durch die halb spielerische Herstellung einiger Film-Drehbücher. Ernst wurde es erst, als eine Filmgesellschaft ihm und Bruder Thomas harte Dollars bot für die Ausführung eines durchaus als Kunstwerk gedachten Plans. Der „Tristan" sollte verfilmt werden, Thomas Mann akzeptierte, reiste mit den kaufkräftigen Dollars und Katia nach Bozen, pokulierte dort abends mit Gerhart Hauptmann (die Szenen gingen wenig später in die berühmten Peeperkorn-Kapitel des „Zauberbergs" ein) und verfaßte ein Exposé.[14] Daraus machten die Brüder anschließend ein Drehbuch, Viktor federführend im Bereich des Praktisch-Technischen, also der optischen Szenenführung; Thomas vor allem den Zwischentiteln, dem Text also, seine Aufmerksamkeit zuwendend (es ist vielleicht notwendig, in diesem Zusammenhang daran zu erinnern, daß es sich natürlich noch um einen Stummfilm handelte). Für diese Zwischentitel hatte er ein Konzept, von dem die Rede noch sein wird.

Die Einführung der Rentenmark erst, die Erfindung des Tonfilms dann, die sogenannte Machtergreifung durch Hitler schließlich erledigten stufenweise das Projekt.

Ob Viktors Gedächtnis irrt, wenn er meint, es sei dieses Gemeinschaftswerk nicht nur nicht aufgeführt sondern auch nicht „aufgenommen" worden? Denn die „Frankfurter Zeitung" brachte am 14. V. 1924 einen „Offenen Brief" von Thomas Mann[15], der sich offenbar gegen üble Nachrede und Zweifel an der Verwirklichung des Projekts richtet: „Die ‚gute' Jahreszeit mußte abgewartet werden, um mit den Naturaufnahmen beginnen zu können (. . .). Gegenwärtig ist aber, wie ich höre, die Herstellung des Filmes auf gutem Wege".

Sie war es dann doch nicht, und es ist bitter, daß zwar nicht wenige Filme aus Thomas Manns Werken herausgeholt wurden, daß indessen das einzige unter seiner Mitverantwortung und Mitarbeit entstandene Drehbuch – und zumal das einem solchen gewaltigen Stoff gewidmete – vernichtet ist: „sämtliche vorhandenen Manuskripte, bis auf Thomas' handgeschriebene erste Konzeption, gingen in Berlin und München verloren" (Viktor Mann). Was bleibt, ist beider Brüder Hinweis auf die „Zeigestocktechnik"[16]. Auf sie werden wir noch zurückkommen; wie auch auf das, was man heute die „pädagogische Motivation" nennen würde.

*Unter*titel haben von je die dem Titel überlegene, nämlich ihn deutende Funktion. Das hat auch Wagner sehr wohl gewußt und beachtet, von der „Romantischen Oper“ („Der fliegende Holländer“) bis zum „Bühnenweihfestspiel“ („Parsifal“). Seinen „Tristan“ nennt er sehr bewußt „Tristan *und Isolde*“, und fügt dann die merkwürdige Gattungsbezeichnung hinzu: „Eine Handlung“. Rein äußerlich ist das die Übersetzung des griechischen „Drama“, aber natürlich will solche unübliche Verdeutschung herausfordern.

„Indem Wagner ‚Drama‘ durch *Handlung* ersetzte und übersetzte (Verfremdung durch Aneignung), so daß man stutzt und sich den ursprünglichen Sinn des als Gattungsbezeichnung verschlissenen Wortes ‚Drama‘ bewußt macht, versuchte er anzudeuten, daß im Tristan das innere Drama, auf das es ankommt, aus der Verkrustung durch das äußere, durch das Gedränge der Ereignisse, befreit sei.“ (Carl Dahlhaus)[17].

Es ist also durch diesen simplen Kunstgriff angedeutet, daß hier von aller ‚dramatischen‘ Aktion abgesehen, daß alle Dramatik nach innen verlegt ist. Handlung als Binnenaufruhr. Versuch, dem theaterbunten Bilderbogen ritterlich-höfisch-erotischer Vorgänge ein einziges Muster zu entringen, ein Urbild: das des Liebestriebes, der in seiner Elementargewalt alles Lebendige durchaus dialektisch tötet und aufgeht im Todestrieb, sich erfüllt durch Aufgabe. Dies alles mit Hilfe Schopenhauers und ein halbes Jahrhundert vor Freud und seiner Eros-Thanatos-Polarität.

Solches darzustellen nicht als „Drama“ sondern als „Handlung“, gelang Wagner kraft des magischen Zaubertranks seiner Musik. Sie übernimmt die dramatische Aktion, tut es vor allem im II. Akt, Sturm in Statuen, die Figuren sind im Sinne der überkommenen (und wohl fehldeutenden) Etymologie ‚Personen‘. Wagners Variante des Tristan-Themas ist singulär. Was nicht heißt, daß sie nicht wesentlich dem Stoff zugehörte, – jedenfalls seit dessen Aufbereitung durch die „Version courtoise", durch Thomas von Britanje und Gottfried von Straßburg. Die spielmännische Version indessen dieses alten keltischen Feen-, Zauber- und Todesmärchens, also die mit dem Namen Béroul in Frankreich und Eilhard in Deutschland verbundene Fassung, fand ihr Genügen unproblematisch noch in der Darbietung des farbigen Getümmels von Turnier und Minne, von Riesen- und Drachenkampf und jener Giftwirkung, die allein (und bequem) das Verhängnis der verbotenen Liebschaft erklärte.

VI. Gottfried von Straßburg: Der Torso als Vollendung

Gottfried von Straßburg, nervöser und sensibler Artist, hat sich in der Einleitung seines Epos gegen diese biedere und plane Darstellung des Gegenstandes entschieden gewandt. Ihm ging es um subtilere Nuancen, so hielt er sich an das Vorbild des Anglo-Normannen Thomas, – und scheiterte. Scheiterte insofern jedenfalls, als Fragment immer Scheitern bedeutet, und Torso: Aufgeben. Der Tod, sagen seine beflissenen mittelhochdeutschen Fortsetzer, habe ihm die Feder aus der Hand genommen. So will es der Topos. Es ist sehr wohl statthaft, der Vermutung nachzuhängen, daß hier eine Fabel die ihr innewohnende Mächtigkeit mit zerstörender Sprengkraft entfaltete und Gottfried da scheiterte, wo erst Wagner ein Gelingen riskierte. „Gelingen" in der Beendung. Nicht der Künstler scheitert, sondern seine Figuren. Die Reize des Höfischen Romans und seiner irrlichternden Aventiurenwelt waren für Gottfried und sein Publikum (wir wissen das aus selbstkritischen Passagen dieser Dichtergeneration) schon fragwürdig geworden. Zwar insistiert der Artusroman gemäß dem ihm mitgegebenen Gattungsgesetz auf seinem Ende-gut-alles-gut-Schema, – aber das Gelingen gelingt ihm nur kraft eines Illusionszaubers, der selbst der leicht verführbaren höfischen Phantasie suspekt zu werden beginnt. Das Exempel schlechthin für die Aporie des Illusionismus ist der *Parzival*-Roman, ist sein Ende: Was denn ist mit den *Nicht*-Berufenen, und inwieweit kann diese mönchisch-feudale Männergemeinschaft Muster und Vorbild sein für eine in nicht-erhobener Normalität eingepferchte Menschheit? Der „Parsifal" Wagners dann macht, eben weil sehr viel rigider die zur Antinomie gesteigerte Antithetik von Sinnen- und Geisteswelt durchspielend, die endliche Hilflosigkeit dieser Utopie radikal deutlich.

Es ist also geboten, schon Gottfried, den im Bereich des kritischen Vermögens und des artistischen Bewußtseins gewiß bedeutendsten Epiker des Mittelalters, mit Selbstzweifeln zu belasten, die den ‚Sinn' des Aventiuren-Einerleis betreffen und ihn ermutigen und ermächtigen, die Heillosigkeit dieses Seelendramas streng ins Bewußtsein zu rücken, – das doch zu seiner Zeit nicht heillos sein durfte: weil Tragik als unlösbarer Konflikt gleichberechtigter metaphysischer oder moralischer Mächte die Erhebung des Menschen voraussetzt zu einem Individuum mit autonomen Entscheidungskräften und der Fähigkeit, dank ihnen zu versagen. Der *Ordo Christianus* des Mittelalters aber weiß alle Kreatur, wie auch immer es um sie stehe, aufgehoben in göttlichem Rat und Heilsplan, der auch die Instanz ist, die dem *liberum arbitrium* des Menschen seine Grenzen setzt. Tristan und Isolde, wenn sie scheitern, dürfen nicht an sich selbst scheitern, dürfen nicht im Tode weiterlebend fortsetzen, was sie im Leben nicht vollenden konnten, sondern müssen z. B. Drogengeschädigte, müssen Drogenopfer sein. Tragische Erschütterung nämlich gefährdet die Weltordnung, rührendes Mitleid hingegen bestätigt sie.

Als Gottfried erkannte, daß der „Höfische Gott" unverläßlich und ein Komplice ist (anläßlich nämlich des manipulierten Gottesurteils, das Isolde gegen alle Wahrheit und alles Recht freispricht vom Ehebruch), da mag ihm auch aufgegangen sein, daß der Absolutheitsanspruch dieser Liebe nicht nur den höfisch-zernierten Rahmen gesellschaftlichen Comments sprengte, sondern ein Zeugnis ist für die Heillosigkeit dieser Daseins-Konstruktion überhaupt. Liebesanspruch, der sich gleichberechtigt den menschlich-göttlichen Rechtsnormen und Gesetzesordnungen entgegenstemmt, hat in dieser Welt keinen Platz mehr – oder diese Welt hat in dieser Liebe keinen Platz mehr. Eines von beiden muß durch das andere widerlegt werden. So kann es denn kein Ende geben, keinen Abschluß für diese Geschichte, der Tod der Liebenden würde mittelalterlich nicht hinausweisen über sie auf ewige Freuden, sondern zurückweisen auf das Fragment ihres Lebens. Davor scheute Gottfried zurück – und tat es mit Hilfe des Fragmentes. Die These ist so hypothetisch nicht. Die Zeitgenossen haben die zutiefst ‚unsittliche', d. h. dem gesellschaftlich normierten Sittenkodex widerstreitende Substanz des „Tristan" sehr wohl empfunden. Daß der Alemanne Gottfried und der Franke Wolfram einander in wechselseitiger Abneigung heftig verbunden waren, mag auch mit der Fatalität von Gottfrieds Hauptgeschäft, mit der Sprengkraft des Tristan-Themas zusammenhängen. Und der große Lehrmeister der Deutschen, Chrestien de Troyes, hat mit seinem „Cligès" einen Anti-Tristan-Entwurf angestrebt.

So war denn Gottfrieds Werk auch zukunftslos bis zur Wiederaufnahme durch Wagner. Der freilich zur Mystifizierung des Fragment-Schicksals neigt, wenn er am 13. Juni 1865 an König Ludwig II. schreibt: „Sie wissen, wer noch am *Tristan* dichtete, hinterließ ihn unvollendet – von Gottfried von Straßburg an." Da irrt er, aber zu Recht atmet er vor seinem vollendeten „Tristan" auf: „Dies wär' erreicht".

Das späte Mittelalter hingegen hielt sich nicht an Gottfried sondern delektierte sich in stoffhungriger Neugier und zunehmend des Lesens kundig an den Prosamassen, die mittlerweile in Frankreich wie Deutschland den Höfischen Versroman üppig aufgesogen haben. Auch Gottfrieds von ihm nicht goutierter deutscher Vorgänger, der bieder im niederdeutschen Raum zu ortende Eilhard von Oberg (um 1170) erfuhr dieses Schicksal. Sein *Tristrant*, nebst seiner Isalde eher das Opfer peinlicher Umstände als der zerstörerischen Kräfte in der eigenen Brust, erschien, aus Versen in schlichte aber wortreiche Prosa verwandelt, 1484 im Druck und hat sich bis ins XVII. Jahrhundert hinein großer Beliebtheit erfreut.

Handlungsarm und bewegungsbunt zugleich ist der Tristan-Stoff. Die eigentliche ‚Aktion', die Liebe Tristans und Isoldes, ist eine konstante Größe, entwickelt sich nicht, bleibt statuarisch wie die Heldin selbst, die nurmehr zur Funktion ihres Liebesschicksals reduziert ist. Isolde tut lediglich, was jeweils die Lust nach Liebe und die Not des Verhehlens eben dieser Lust ihr – und zwar durch Tristan – eingeben. Alle Abenteuer und Listen, Finten und Paraden, Feste und Spiele, im höfischen Roman bisher mit einem gewissen Selbstwert ausgezeichnet und herangezogen als Bestätigungs-Muster dieser Welt, verblassen bei Gottfried zu Statisterie und Staffage. *Aventiure*, im klassischen *Roman courtois* noch Mittel zur Bestätigung und Erhebung des Helden, wird jetzt deformiert zu flachbunter Inszenierung, Nervenreizung durch Vorführen riskanter Pièцen anstrebend.

Mit diesem ‚statischen' Kern der Tristan-Isolde-Tragödie konnte naturgemäß eine nach unterhaltenden Stoffmassen lüsterne spätere Zeit nichts anfangen. Auf dem Wege über Eilharts Vers-Epos und dessen Prosa-Auswalzung aber bemächtigte sie sich der pur-materiellen Vorgänge und machte weithin und wiederum zum *Inhalt*, was bei Gottfried reduziert worden war auf Verschalung und Gerüst.

So auch Hans Sachs. In sieben *actus* verarbeitete er die Affaire, und tat es seinem Zweck, seiner ‚Motivation' gemäß. Es geht nach wie vor um die Erfüllung der Horazischen Erfolgsformel des *prodesse et delectare*, – eben nach der Weise der Zeit. Unterhaltung garantieren die vielen welthaltigen Einzelszenen; den Nutzen der Belehrung spendet freigebig das traurige Ende: Warnung nämlich vor „unordentlicher Liebe". Das Publikum, dem nicht ahnen mochte, daß erst hinter dieser Moral das eigentliche Problem einsetzt, wird vom „ehrnholdt" (dem Herold) entlassen mit erhobenem Zeigefinger:

Auß dem so laß dich treulich warnen,
O mensch, vor solcher liebe garnen,
Und spar dein lieb biß in die eh!
Dann hab ein lieb und keine meh![18]

(„. . . und bewahre deine Liebe für die Ehe.
Dann hab du eine Liebe und keine mehr!")

Zeigefinger also und Zeigestock regieren die sieben Akte. Kurze Auftritte, mehr Erklärung von Vorgängen als Vorgänge selbst (weil eben einen Drachenkampf auf die Bühne zu bringen heikel ist, da tut sich nicht nur Bayreuth heute noch schwer), die Figuren charakterisieren sich wechselseitig, die Vorgänge erklären sich wechselseitig, die Szenen verweisen wechselseitig aufeinander: es ist das die Tradition des Bänkelsangs, der Moritat, des Bilderbogens. (Womit wir übrigens zwanglos bei des Hans Sachs bänkelsingendem blinden Nürnberger Zeitgenossen Jörg Graf sind und also bei Martin Walsers „Sauspiel" von 1975.) Nur mit Hilfe des knappen Einzelbildes und seiner raschen Abfolge lassen sich komplizierte Vorgänge vereinfachen, lassen sich Handlung und Handlungen, Motive und ihre Folgen erklären. Das, was Goethe und nach ihm Thomas Mann Hans Sachsens „didaktischen Realismus" nennt, also die Fertigkeit und Fähigkeit, höchst komplizierte Handlungsstränge der Vorlage vereinfachend zusammenzuraffen und sie auf solche Weise wenn auch nicht eben plausibel so doch allemal eingängig verstehbar zu machen, kommt aufs schönste heraus etwa mit Hilfe des Schwertscharten-Indizes:

Tristrant *der heldt* hat den Vier-Mann-starken Morholdt erlegt, der den Menschenzins für den König von Irland beizutreiben gekommen war. Isald findet die Leiche: „Hertzlieber vetter, bist du todt?", und entdeckt nun im Schädel des Gefallenen „ein stück von herr Tristrant schwerdt", zeigt das und spricht:

Schaut! von des feindes schwerte scharten
Steckt ihm das stück in seiner schwarten.

O das ich deinen todt kündt rechen,
Den feind mit eigner handt erstechen!

Der Tote wird nach Irland verschifft, so endet der erste Akt.

Tristrant, obzwar schwer verwundet durch Morhold, macht sich nun auf, „nachforschen dem weibsbild klar", dem das Goldhaar zugehört, das die Schwalbe hat fallen lassen und die König Marx zur Frau begehrt (so heißt er hier: der kornische Name *Mark(e)* erscheint latinisiert als das vertraute *Marcus*, kontrahiert *Marks*, bei Sachs *Marx* geschrieben). In Irland mit den Gefährten gelandet, muß Tristrant erst den „grausam trach" besiegen, das zu tun geht er von der Szene, gute Wünsche der Freunde begleiten ihn, zwölf Verse später „kumbt (er) mit dem trachenkopff", legt sich ermattet nieder, die Prinzessin Isald mit *kemerling* und *hofjungkfraw* Brangel (Brangäne) findet ihn, sie salben und baden den Helden, der nun, erwacht, in Lachen ausbricht und erkennt:

Diß wird das weibßbild sein fürwar,
Von der kumbt das lang frawen-har.

So ist es, – aber vor das Gelingen ist dramatisch die Erkennungszene gesetzt. Isald:

Ich muß im wischen auch das schwerdt,
Wann es ist aller ehren wert –

und dabei sieht sie die Scharte, *misset das trum* (den Splitter) *hinein*, erkennt Tristrant als den Töter ihres *lieben vettern* und befiehlt ihrem Kammerherrn:

Peronis, stoß das schwerd durch in!

Tristrant plädiert indes auf Notwehr, und Peronis gibt zu bedenken, daß es

wer (wäre) unrecht und unbillich,
Das man in straffen solt am leben –

da er doch die Landplage des furchtbaren Drachen erledigt hat, und Brangel erinnert:

Ja, billig thut ir im vergeben,
Dieweil köngkliche mayestat
Hat außgeschrieben ein mandat,
Wer dem trachen neme sein leben,
Dem wöll der König sein tochter geben.
Dem selben muß man kumen nach.

Isolde, prompt: *Nun, so laß ich fallen die rach.* Ende actus 2.

Man ermesse: In rund 200 Versen und ein paar Szenenanweisungen sind hier, im System ihrer eigenen Logik, folgende elementaren Handlungsblöcke bewältigt: Isolde findet den toten Oheim und den Schwertsplitter; Rachemotiv. – Tristrant mit der vergifteten Wunde erhält den Auftrag, auf Brautsuche und -werbung zu gehen (angeführt vom Märchenmotiv des Blondhaars im Schwalbenschnabel). – Irlandfahrt mit Gefährten. – Drachenkampf, Sieg, Ohnmacht. – Auffindung, Erkennungsszene, Isoldes impulsiver Rachegestus, Beschwichtigung. – Abgang in die Stadt. Nicht weniger als sechs Handlungseinheiten. Das ist wahrlich von der geschickten und schicklichen Wucht des Naiven und bezeugt staunenswerte Kraft der Vereinfachung. Gottfried von Straßburg, an und auf seine Weise gebunden, benötigt für den Stoff dieser Partie mehr als das Zehnfache[19].

VIII. Hans Sachs und der Liebestrank

Die Szene freilich der äußersten inneren Dramatik: die der Bewußtwerdung der gegenseitigen allesversehrenden Liebe Tristans und Isoldes, sie muß sich von Sachs Reduzierung auf das Malheur der Verwechslung gefallen lassen: Tristrant als Brautwerber führt also Isald, *die brawt*, hinüber nach *curnewelisch landt.* Wie kommen sie an den Liebestrank? Sie müssen Durst haben. Wie kommen sie an den Durst? „Weil so uberheiß scheint die sunn!“ hört man Tristrant klagen, und Isald stimmt ein: „Kein grösern durst ich auch nie gwun./Ich glaub auch, es mach die groß hitz“. Wo finden sie zu trinken? „Ich weis: zu trincken hat kein mangel“, und Tristrant macht sich an den „watsack", den Kleidersack der Brangel (Brangäne), wo sie angeblich ein Fläschlein Weißwein aufbewahre: „Damit wöllen uns trencken wir." Dann die Szenenanweisung: „Herr Tristrant trinckt und gibt es Isalden, die trincket auch." Was dann folgt, bezeugt die gänzliche Kapitulation vor dem Verständnis vom eigentlichen Wesen des Tranks, also die Kapitulation vor dem eigentlichen Wesen dieser illegalen, das heißt ordnungstörenden, das heißt weltaufhebenden Liebe. Man denke (oder denke besser nicht) an die Stadien subtiler, ständig von Retardierungen abgelöster Näherung der Beiden in Gottfrieds Epos, ein intrikater fast rituell gegliederter Tanz der sich offenbarenden und verbergenden Gefühle, des sich offenbarenden und verbergenden Gewahrwerdens dieser Gefühle. Oder man denke an das Finale des ersten Akts von Wagners „Handlung": dem läßt sich die geschrotene Handfestigkeit in der Tat nicht vergleichen, mit der die Helden des Hans Sachs Liebe empfangen und empfinden: Jedes von beiden, nachdem sie getrunken, erklärt, es sei ganz durcheinander, und da Sachs weder die Liebe noch ihre Voraussetzungen oder Äußerungsformen zu zeigen vermag, geht jetzt ein jedes erst einmal in die Kabine zur Ruh und die Entourage muß den Sachverhalt mit der nötigen Überdeutlichkeit klar machen:

„Brangel schlecht die hend zusamen ob dem kopff" und spricht:

> So habens truncken das bultranck.
> Weh mir und weh in immerdar!"
>
> („So haben sie denn den Liebestrank getrunken.
> Weh mir und weh ihnen immerdar!")

Handwerklich gezimmerte, hausbacken vorgeführte Gift-Kausalität an Stelle der gesellschaftsgefährdenden erotisch-sexuellen Magie, die man sehr wohl Dämonie nennen kann: Das ist der traurige Rest. Dennoch, vielmehr gerade deshalb darf sich trösten, wer daraus auf solche Weise zu lernen bereit ist. Derlei „Moral" aber, das liegt auf der Hand, erledigt das Thema zur Gänze, hebt es radikal auf, annulliert es durch Nutzanwendung. Die letzten Worte des Herolds klingen wie Hohn, aber diese Art Hohn besteht eben darin, daß sie ernst gemeint sind:

> Das stäte lieb und trew aufwachs
> Im ehling stand, das wünscht Hans Sachs.[20]

Hier das erstaunliche Paradoxon: Das Mittelalter des Tristan-*Romans* ist nicht mittelalterlich. Hans Sachs jedoch, der Neuzeit Morgenröte einsingend, ist als Tristan-Dichter (und wohl auch sonst noch) ein Stück Mittelalter.

IX. Richard Wagner und die mittelalterliche Liebe

Das Mittelalter des Tristan-Romans nicht mittelalterlich? Solche Phrase, will sie mehr sein als ein gefälliges Wortspiel, nötigt zur Korrektur und legt die weitere Formel nahe: Das Mittelalter war nicht mittelalterlich. Weniger auf Zuspitzung bedacht aber hieße das: Es begegnet dem Historiker bei der Vermessung dieses geschichtlichen Raumes mancherlei, was die begriffsgebenden, das Zeitalter definierenden Wesenszüge irritiert – und damit auch den Betrachter. Da ist die Tristan-Isolde-Liebe, ein Akt der Verabsolutierung des Individuums, ein Akt der Autonomie bis hin zur Selbstzerstörung, ein Akt des Bekenntnisses zum Gesetz des Gefühls in uns und gegen die normliefernden Gesetze außer – oder über – uns (wie sie herkömmlich verantwortlich gemacht werden für die mittelalterliche, heteronom gelenkte Einheitswelt und ihre Einheitskultur). Damit nun Mittelalter Mittelalter bleibe, rettet etwa Gottfried von Straßburg diese seine Zeit und ihr Bild in unserer Seele durch Beibehaltung und Weiterverwendung des Minnetranks. Das Gift der Schlange ist's, das den Menschen – denn aus brüchigem Stoff ist er gemacht – verführt. Auch wenn Gottfrieds Zeit sich bereits als „aufgeklärt" empfindet und an solches Gift kaum mehr glauben will, so beglaubigt es doch die Macht des Bösen und entschuldet – partiell – den in den Banden der Erbsünde gefesselten Menschen. Wagner, wie so oft, wenn er seinen nervös und mächtig hantierenden Händen überlieferten Stoff anvertraut, macht Ernst aus Möglichkeiten und Ansätzen. Bei ihm ist kein Versehen im Spiel, kein Hoffräulein verwechselt albern die Mixturen der giftbrauenden Königin-Mutter, keine Brangäne versieht sich töricht bei der Wahl der Gefäße – sondern bewußt schenkt sie Tristan und Isolde den zauberischen Liebestrank ein, da, wo ihre Herrin von ihr den Todestrank gefordert hatte: „Daß ich untreu / einmal nur / der Herrin Willen trog!"

Wird damit die Verantwortung verlagert, trägt von nun an Brangäne alle Schuld an aller Katastrophe? Durchaus nicht, sondern sehr konsequent läßt Wagner sie als Werkzeug nur handeln, da sie ja nichts ist als Isoldes verlängerte, ihre „niedere" Existenz, immerfort und also auch hier Isoldes Willen exekutierend. Die Herrin selber, ihre treue Dienerin inmitten ihrer Selbstanklagen entlastend, macht „Frau Minne" verantwortlich: „Dein Werk? / O tör'ge Magd! / Frau Minne kenntest du nicht? / Nicht ihres Zaubers Macht?"

Entscheidung also zugunsten des Gesetzes in der eigenen Brust. „Unmittelalterlich" bei Gottfried angebahnt, „neuzeitlich" von Wagner zu Ende gedacht und zu Ende gemacht. Davon wußte Hans Sachs nichts. So wenig wie von der Affinität des Liebes- und des Todes-Triebs, die Wagner mit radikaler Entschiedenheit herausarbeitet, einmal mehr Freud vorwegnehmend: Es ist der Todestrank, den Isolde von der Dienerin für Tristan und sich fordert; es ist der Liebestrank, den die Dienerin, aus Treue rebellisch, stattdessen gibt. Jener Liebestrank, der dann doch schließlich Todestrank sein wird – freilich von der Art, die das eine im andern erst sich verwirklichen läßt, Liebe als Tod und Tod als Liebe die Lust der „tiefen, tiefen Ewigkeit" gebend. Mystik der Nacht als Mystik der Liebe als Mystik des Todes – man hat ausführlich und treffend über diese innerste Substanz von Wagners „Handlung" nachgedacht und an Schopenhauer vor allem, des weiteren an die Romantik erinnert (vorzüglich an Novalis). Auch hier aber, auch in diesem nächtlich-erotisch-vitalen Raum, hat das Mittelalter auf seine unmittelalterliche Weise vorgearbeitet. Die mittelhochdeutsche Dichtung pflegte mit nachwirkender Intensität ein welt- und jahrhunderteweit verbreitetes lyrisches Genre: das *Tagelied.* Die sanghafte Schilderung einer illegalen Liebesnacht, der Morgen kommt, der Wächter warnt, der Mann muß fort, wenn ihm sein Leben lieb ist. (Es ist ihm lieb.) Vor allem Wolfram von Eschenbach hat in einigen grandiosen Liedern diese Liebe, die nicht sein darf, verherrlicht; und es ist Wolframs Tages-Feindschaft, seine Verfluchung des Morgenlichts, seine Schmähung der entlarvenden Helligkeit (durch den Klagemund der liebenden Frau), die sich mit wörtlichen Anklängen in Wagners Text finden. Denn nicht nur Brangänes Warngesang „Einsam wachend in der Nacht", vielmehr der ganze zweite Akt des „Tristan" ist ein einziges Tagelied (freilich mit abweichendem, weil katastrophalem Ende). Es ist nicht ohne Ironie, daß es die offenbar leidenschaftlich miteinander verfeindeten Dichter Gottfried und Wolfram sind, die zufolge ihrer „progressiven", das Gesetz ihrer Zeit widerlegenden (und damit ihr Dichten bedeutend machenden) Töne das Material liefern für ein zu revidierendes Mittelalter-Bild, für Wagners Mittelalter-Vollendung zum Ende des bürgerlichen Zeitalters.

Der Raum der Liebe als Raum der Freiheit, das klingt einleuchtend als Postulat, und es macht sich beklemmend als Kontrastbild zur jeweiligen gesellschaftlichen Ordnung. Wo die neue oder auch die ältere Linke des Menschen Emanzipation nahe sah im Mut zur Libertinage, in der Freigabe sexueller Wünsche und Wunschhandlungen, in der Sonderung des Liebesgefühls vom Eroberungs- und Besitzdenken, da stellte sich endlich doch nichts ein als schale Promiskuität und öde Trivialisierung. Und waren Eros und Sexus einst allzusehr Geheimnisträger gewesen, so wollten sie ohne Geheimnis doch auch nicht recht taugen. Tristan, großer Liebender, ist auch ein beharrlich treu Liebender und hat nichts im Sinn mit den „Wonnen der Gewöhnlichkeit". Wagner vergleicht ihn einmal (an Mathilde Wesendonck schreibend) mit seinem Amfortas, insofern als beide sich die Verwirklichung ihrer selbst in verzückter oder verzweifelter Todessehnsucht erflehen. Amfortas freilich versucht, eher fahnenflüchtig, seinen Posten vor der Zeit zu räumen; Tristan hingegen ersehnt in mystischer Inbrunst das Reich der Nacht als den ihm gemäßen Bereich: die kraft Willens-Aufgabe selige Todes-Ewigkeit, das heißt Liebes-Ewigkeit. Denn wer sein Gefühl absolut zu setzen wagt, wird es in der Welt des „Tages", also der Welt, nicht mehr erfüllen können, wird es in ihr nur geschändet erleben. Liebe, konsequent gelebt, ist allemal ein die Ordnungskategorien der Gesellschaft sprengendes Element von explosiver Eigentümlichkeit. Die „Gesellschaft" hat das von je auf ihre Weise zu arrangieren versucht: in der Regel durch Kanalisierung des Elementartriebs, das heißt durch Einbettung in legale und administrative Formen; oder aber durch relativierende Reduzierung bis hin zur Verpönung. Hier „Familienpolitik", da „In ein Kloster, geh!", am Rande der verstümmelte Abaelard.

Am 10. Juni 1865 wird Wagners „Tristan und Isolde" in München uraufgeführt, auch der König ist zugegen. „Eine Handlung", und Dirigent ist Hans v. Bülow. Exakt zwei Monate zuvor, am 10. April, war Isolde zur Welt gekommen, das erste Kind Richard Wagners und Cosimas v. Bülow.

X. Der Zeigestock als Lehrmittel

Nun aber erinnern Sachs und sein Verfahren an eine andere Dramatisierung des „traurig Stück", weit über Zeit und Raum hinweg: Es war nämlich eine durchaus pädagogische Absicht, die Thomas Mann bei Abfassung seines Filmdrehbuchs leitete. Nicht daß er schlicht die Welt zu bessern und zu bekehren sich vornahm, wohl aber war ihm klar, daß Richard Wagners sehr besondere Adaptation des Gedichtes den Blick verstellen mußte auf Gottfrieds großes Epos. Daher: „wenn es meiner Arbeit gelingt, die Abertausende, denen heute das Lichtspiel gleich nach dem täglichen Brot kommt, *ihn nahe zu bringen,* so will ich zufrieden sein".[21]

Das Problem also ist 1923 nach wie vor das mit dem Stoff ursprünglich gegebene: Wie macht man den dominanten seelischen Vorgang sinnfällig, wie läßt man ihn sich in Aktion bezeugen, ohne daß die Aktion sich verselbständigt? Eilhard, der Prosaroman, Hans Sachs kapitulierten und zeigten Handlung. Gottfried hingegen empfand den offensichtlichen Bruch, der diese Menschen von ihrer Welt trennte, als eine Art Verpflichtung, sie und ihre Dichtung konsequent als Bruch-Stück zu hinterlassen. Wagner schließlich überführte mit Hilfe der Musik und des Programms der Verneinung des Lebenswillens die endliche Liebe und ihre irdische Unvollkommenheit in den unendlichen Tod und seinen durch Bejahung geschaffenen Freiheitsraum. Nun wollten Viktor und Thomas Mann etwas sehr Großes: nämlich „den reichen seelischen Gehalt (. . .) möglichst vollständig in schauspielerische Möglichkeiten" umwandeln.[22] Um es mit Wagners verfremdender Terminologie – und ihn konterkarierend – zu sagen: „Handlung" war umzusetzen in „Drama".

Das verlorene Drehbuch hindert uns, das Geleistete zu bewundern oder zu kritisieren. Aber die Methode ist durch beide Verfasser angedeutet. Und es zeigt sich, daß sie auf erstaunliche Weise die alte Technik des Hans Sachs und seiner Demonstrations-Dramaturgie wieder aufnimmt:

„Was den verbindenden Text, die sogenannten ‚Titel' betrifft, so war ich bemüht, sie lebhaft und womöglich im Geiste direkter Anrede des Publikums, im Geiste ‚des Mannes mit dem Zeigestab' also, abzufassen. Denn ich sehe im Film eine durchaus populäre Macht und Einrichtung von großen pädagogischen Möglichkeiten – die technisch und stofflich entwickelte Wiederkehr der alten Moritat vom Jahrmarkt" (Thomas Mann).[23]

Das Moritat-Konzept wird parallel durch Viktor Mann an einem Beispiel präzisiert: Thomas

„entwickelte einen Stil des Erklärens durch die Bildschrift, der für den Film ganz neu war und ein wenig an das Deuten mit dem Zeigestab erinnerte. ‚Der alte Eremit dort', hieß es bei einer Szene, ‚war auch einmal jung und lustig, als er noch keinen so langen Bart hatte.' Und dieser Text erklärte das mehr als tolerante Gebaren des Einsiedlers im wilden Wald gegenüber dem verstoßenen Liebespaar und sein augenzwinkerndes Gefallen an der Schönen ausgezeichnet."[24]

Ein Versuch also, „die demonstrierende, das Untergründige und Unbewußte aufdeckende Funktion der Wagnerschen Musik wenigstens teilweise für die Bild-Schrift zu retten" (Martin Gregor-Dellin). Das heißt: *Der Zeigestock, der Deutefinger als dramaturgisches Instrument.* Bei Hans Sachs am schlichtesten eingesetzt: die an Drähten hängenden Figuren erklären (wechselseitig) sich selbst – weisen auf sich, nicht aber über sich hinaus. Bei Wagner „zeigt" und „verweist" die Musik. Bei Thomas Mann deutet der (wie in den Comics) begleitend hinzugesetzte Text, der (das wird aus den zitierten Kommentaren deutlich) mehr wollte als nur stoffliche Vorgänge erläutern. Was letztlich hieß, einen Wagner-Effekt mit Nicht-Wagnerischen Mitteln, also mit dem Medium des Wortes anzustreben. Vielleicht, daß der Schiffbruch des Projekts doch nicht nur der Widrigkeit äußerer Umstände zuzuschreiben ist? Daß hier, wie siebenhundert Jahre früher bei Gottfried, Scheitern verstanden werden kann als geschehen aus innerer Gesetzmäßigkeit des Stoffes und seiner Widerstände heraus? Das ordnungsprengende Tristan-Thema sprengt mit der Menschen-Welt auch die des Menschen-Wortes.

Das freilich ist eine Ahnung, die Hans Sachs zu Nürnberg sich versagen, der Hans Sachs zu Nürnberg sich versagen mußte. Eine Ahnung, die Richard Wagner als Gewißheit gestaltete. Der zweite Takt schon des „Tristan"-Vorspiels, nein: des „Tristan und Isolde"-Vorspiels, stellt sie dar. Ein gebrochener und Auflösung vergebens suchender Akkord. Dennoch: ein Akkord.

Man kann von der ersten Dramatisierung des *Tristan*-Stoffs nicht reden ohne – und sei's auch nur beiläufig – der ersten Dramatisierung des *Nibelungen*stoffes zu gedenken: „Der hürnen Seufrid". Und wieder ist Hans Sachs der Verfasser (das heißt der Bühnenbearbeiter) eines kurz zuvor im Druck erschienenen und beliebten „Liedes".

Es wäre auch an diesem Gegenstande aufzuweisen und zu demonstrieren, was schon Sachs' Behandlung des *Tristan*-Themas auszeichnete: Die geradezu faszinierende Radikalität der Entseelung, d. h. die Fähigkeit, die Materie aller ihrer inneren Spannung zu entledigen und sie blindlings zu reduzieren auf das faktische Handlungsskelett. Was bleibt ist: Drachenkampf und Prinzessinnenbefreiung und siegreiches Dreinschlagen und endlicher Untergang. Vom Gedanken der Macht des Goldes wie der Furchtbarkeit des rächenden Hasses sind Hans Sachs und seine Vorlage so wenig gestreift worden wie er im Tristan-Kontext unbehelligt blieb von einer Ahnung des dämonischen Eros. Monologstück reiht sich an Monologstück, und was aus deren Agglomeration nicht klar wird, meistert die Regieanweisung – die übrigens dramaturgisch in einem Maße mitspielt wie in der Neuzeit etwa bei Shaw oder bei Hochhuth (freilich aus unterschiedlichen dramaturgischen Gründen: Hans Sachs will Geschehnisse begründen, Shaw und Hochhuth wollen Schauspieler motivieren und im Raum der Regie das Schlimmste verhüten).

Für Hans Sachs und seine Zeit muß also ein Stück seine Moral haben, seinen Nutzen, seine Anwendung. Das ist nicht bestürzend neu, das Horazische *Et prodesse (et delectare)* beherrscht durchaus auch die Kunstanweisung der mittelalterlichen Poetik. Wer sich indessen umsieht in den mittelalterlichen Helden- und Höfischen Epen, der wird zwar durch die ‚Inszenierung' ihres Anspruchs genötigt, nach ihrem „Sinn", also auch ihrer „Lehre" zu fragen, – aber in welch heiklem Maße der mittelalterliche Dichter, wenn er nicht nur Spielmann war und Jahrmarktsunterhalter, der *âventiure meine,* also den *sens* seiner *matiere* sublimierte und chiffrierte, erhellt aus den Widersprüchen und Unsicherheiten der späteren Forschung: „Parzival" und „Erec", „Gregorius" und „Armer Heinrich" und der „Tristan" sind trotz generationenlangem Bemühen immer noch (zumindest partiell) verschlüsselt, und der bedeutungsschwer mit Zentralbegriffen der Höfischen Ethik beladene Prolog des „Iwein" wird nach fast acht Jahrhunderten nicht von auch nur zwei Experten dieser Materie auf gleiche Weise übersetzt und verstanden. Anders zweihundertfünfzig Jahre nach Gottfried und den „Nibelungen". Dem verzweiflungsvollen Unheil der Tristan-Liebe weiß Hans Sachs zum Ende freilich nur Allgemeinheiten der Warnung, Mahnung und Nutzanwendung anzuhängen. Immerhin, er appelliert an das rechte Ehe-Verhalten als das einzig angemessene *remedium* gegen solcherlei Unheil. Hingegen der „ernholt" im „Hürnen Seufrid", als er das Stück „peschlewst", (der Herold also, als er das Stück beschließt) läßt sich, denn der Stoff erlaubt es, sehr viel deutlicher und detaillierter aus: Jede der auftretenden Personen wird als ihres Glückes oder Unglückes Schmied fixiert, und alles Geschehen, Gelingen wie Mißlingen ist angelegt in unserer Brust, sprich: unserem mitbürgerlichen Wohlverhalten oder Versagen. So darf denn auch auf dieser Stufe der Stofftradition Siegfried nicht mehr der arglose Held sein, der, ohne zu verstehen, zerrieben wird zwischen den Schicksals-Blöcken der Machtgier, der Eifersucht, der Rache. Die Logik dieser Zeit ist die einer simplen ‚protestantischen' Verdienst-Moral: Wer da fällt, muß gefehlt haben. Siegfried-Seufrid wird ermordet, das soll mit rechten Dingen zugehen: Also ist er „ein vnghraten sun", er repräsentiert „die juegent / On zuecht gueter siten vnd tuegent, / Verwegen, frech vnd vnferzaget, / Die sich in all gferlikeit waget"[25] (die Jugend also, die zuchtlos sich in Gefahr begibt). Das aber heißt: Siegfried ist Opfer seiner kraftmeierischen *superbia,* er ist der ungeratene Sohn braver Eltern, ist maßlos und undiszipliniert (das ist also das tradierte Jung-Siegfried-Modell), vor allem aber demonstriert er die Gültigkeit der Lebenserfahrung, die da weiß (und will?), daß, wer sich in Gefahr begibt, darin auch umkommt. Eine wohlberechnete, eine bürgerliche Lebensweisheit.

Nicht anders erhält jede *figura dramatis* ihr Leumundszeugnis nicht nur, sondern ihr wird attestiert, daß ihr Schicksal „verdient" ist. Denn soviel ist gewiß: Die Penetranz, mit der Hans Sachs seinen Stücken regelmäßig ihre Nutzanwendung hinterherschickt, sie als dramatisierten Tugendspiegel vorführt, ist Ausdruck des Bedürfnisses, jedem Ding seine spezifische Nutzen-Chance zu entringen. Das mag man getrost Ausdruck einer bürgerlichen Gesinnung nennen, die sich ja herausbildet im Zusammenhang mit der Entdeckung der „Ware", in der Entdeckung von deren Handelswert, in der „Einführung der Buchhaltung" (Dieter Forte). Eine Sache als ‚Habe' muß geehrt, gehegt, gemehrt und vor allem weitergegeben werden können: Eine Erbvorstellung, die erst möglich wird, als ein weit gestreuter Wertbereich hergestellt ist, nach dem Ende also der feudalen Agrarstruktur, die Besitz gleichsetzte mit Land und die diesen Besitz in den Händen Weniger durch die Hände vieler Besitzloser bearbeiten und mehren ließ. Das Ethos des Weitergebens, des Vermachens von handfesten Werten, wie sie sich natürlich konzentrieren in Geld und Gold, gibt auch einer Vorstellung von der Übertragbarkeit und Vermittelbarkeit moralischer Werte neue Impulse. Zugleich verdichtet sich der Nutzwert moralischer Prinzipien (des sittlichen Anteils also der – marxistisch gesprochen – Überbauphänomene) in dem Maße, als eben moralische Prinzipien Teil der prosperierenden Handelswelt des frühen Bürgertums geworden waren: Treu und Glauben, Pünktlichkeit, Redlichkeit und Zuverlässigkeit, an sich ohne Lohn lohnende Tugenden, erwirkten sich im Bereich kaufmännischer Wertvorstellungen einen handfesten Profitcharakter. Es rentierte sich, „gut" zu sein – nicht so sehr im Sinne einer Belehnung mit sei's den stoischen Glücksgütern der Seelen-Gelassenheit, sei's den christlichen Glücksgütern der Himmelsgewißheit, sondern im

Sinne einer calvinistisch getönten Prämie für irdisches Wohlverhalten, schon (oder noch) bei Lebzeiten auszuzahlen. Entsprechend hat auch die Kunst ihren moralischen Marktwert, nicht als „Ware" sondern als Lehre. So muß auch Tristans und Isoldes Liebe wie Siegfrieds Ermordung sich erweisen als Bestätigung der Gültigkeit einer in Einsatz und Nutzen rechnenden Wertewelt und ihres Lohngefüges:

> Aber ein löblich regiment,
> Gerecht, barmhertzig, milt, sanftmütig,
> Ihrn unterthan trew, lind und gütig,
> Fürsichtig, weiß, warhaft allzeit,
> Da bleibt in frid land unde leut
> Und bleibt gehorsam iederman,
> Da handtieret, was ieder kan,
> Das land nimbt zu an ehr und gut,
> Wann Gott hat sie in seiner hut
> Und verleicht ihn kraft, macht und sterck.
> So spricht Hans Sachs von Nürembergk.[26]

(„Da hingegen, wo ein gutes Regiment herrscht, in dem jeder recht tut, da gedeiht das Land, denn Gott ist mit ihm.")

XII. Hans Sachs, historisch und vermittelt

Von Sachs, dem Mittler, zu Sachs, dem Vermittelten. Um die Leistung, den Beitrag der Sachs-Rezeption und -Behandlung vor allem des Neunzehnten Jahrhunderts zu verstehen, muß man sich kurz dessen vergewissern, was überliefert ist von (wie die vertraute positivistische Doppelformel heißt) Person und Werk.[27] Was wir über ihn wissen, wissen wir vor allem von ihm: nämlich aus dem Spruchgedicht „Summa all meiner gedicht" von 1567, man könnte den Titel übersetzen: „Mein Leben und meine Werke". Dazu kommen Angaben in seinen Dichtungen, auch Zeugnisse Dritter: alles in allem keine jeweils detailgesicherte, aber doch klar überschaubare Existenz eines handwerkenden Kleinbürgers, Meistersingers und Spielbühnleiters in der freien Reichsstadt Nürnberg: dem damals – jedenfalls bis 1552 – mächtigsten Gemeinwesen in deutschen Landen.[28] Der Vater Jörg Sachs mag Schneider gewesen und aus Sachsen eingewandert sein. Der Sohn Hans wurde geboren am 5. November 1494 in Nürnberg, ging auf die Lateinschule, wurde ab seinem fünfzehnten Lebensjahr in die Schusterlehre gegeben, machte sich auf die vorgeschriebene Walz, lieferte dann in der Heimatstadt sein Meisterstück, heiratete 1519, wurde Hauseigentümer, war von 1555 bis 1561 Spielleiter der Meistersingerbühne und etwa gleichzeitig Merker der Singschule. Nach dem Tod seiner ersten Frau 1560 heiratete er ein zweites Mal, von den sieben Kindern seiner ersten Ehe lebte keines mehr als er 1567 seine „Summa" abfaßte. Er starb mit einundachtzig Jahren am 19. Januar 1576.

Ein langes Leben, nur vier Enkelkinder überdauerten den Alten, sein Grab ist bezeugt auf dem Nürnberger Johannisfriedhof, aber man kann es nicht mehr finden. Geblieben ist eine immense Zahl von Dichtungen: Historien, Tragödien, Komödien, Fabeln, Schwänke, Fastnachtsspiele, Lieder, Prosadialoge, Spruchgedichte, – addiert man alles dies, dann kommt man auf eine Zahl von mehr als sechstausend Stücken.

Hans Sachs, von seinen Zeitgenossen hoch geehrt (wenngleich vom politisch vorsichtig taktierenden Rat der Stadt gelegentlich gemaßregelt), ist von der Nachwelt erniedrigt und erhoben, ist jedenfalls aber nie vergessen worden: Darin zeigt sich, daß er, mag auch viel Mittelalterliches in seinem Dichten sein, kein Mann des Mittelalters war, daß er vielmehr schon diesseits der großen Zeitengrenze stand.

In das allgemeine Bewußtsein, oder genauer: in das Bewußtsein der literarisch und künstlerisch Interessierten aber rückte Hans Sachs vor allem dank der ihn aufnehmenden und umbildenden Emphase zweier sich ständig problematisierender Künstler-Charaktere. Sie holten sich bei und von Hans Sachs, was er ihnen zu geben schien und was doch zum größten – und besten – Teil ihre eigene Zutat war.[29]

Goethe, zum Beginn der Siebziger Jahre auf der Suche nach

einer neuen Sprache, die dem Sturm und Drang in ihm und seinen Generationsgenossen angemessen Ausdruck geben mochte: kernicht, prall, deftig, kantig, etwa so, wie man die Linien eines Dürer-Holzschnittes verstand –, Goethe also, durch eigene Lektüre mit Hans Sachs vertraut,[30] schrieb eine Reihe kleinerer Stücke in der „Guckkasten"-Machart des bewunderten Meisters: so den „Pater Brey", das „Jahrmarktsfest zu Plundersweilern", „Hans Wursts Hochzeit", den „Satyros", den „Ewigen Juden". Das lebte von altdeutscher Art, wie er sie verstand (und für Mittelalter hielt), und fand seine Lebendigkeit nicht zuletzt auf den unruhig-dynamischen Wogenkämmen des Knittelverses, den Goethe Sachs zu verdanken glaubte. Was zwar seine Richtigkeit hat, doch nur insofern als Goethe zwischen den vier Hebungen frei füllte, was Sachs offenbar streng alternierend gezählt hat.[31] Die namentliche Huldigung aber brachte Goethe seinem Sachs zu dessen zweihundertstem Todestag in Wielands „Teutschem Merkur" dar (April-Heft 1776): das Gedicht im originalen Tone „Erklärung eines alten Holzschnittes, vorstellend Hans Sachsens poetische Sendung".[32] Und dem gleichen Hefte fügte der Herausgeber Christoph Martin Wieland eine biographische Skizze bei: „Zugabe einiger Lebensumstände Hans Sachsens".

Goethes schwungvoll polterndes Preislied hat viel für das Gedächtnis Sachsens getan; insbesondere das Neunzehnte Jahrhundert hat lebhaft aufgenommen, was es dank unmittelbarer oder mittelbarer Kenntnis an treusinnig Deutschem, an herzhaft Bürgerlichem in dem Vielgenannten und wenig Gelesenen zu entdecken froh war. Allein an die zwanzig Sachs-Dramen produzierte es,[33] nicht zu reden von den ungezählten weiteren sonstigen literarischen, publizistischen, rhetorischen und wissenschaftlichen Aneignungen, – eine Literaturwelle, deren Kamm sich aufbäumte in den Festlichkeiten zu Sachs' vierhundertstem Geburtstag 1894: da bejubelte in dem Gefeierten das deutsche Bürgertum sich selbst, bejubelte den Triumph der Kunst als Verheißung und Erfüllung eines nationalen Auftrags, auch als Ersatz für dessen Mißlingen, und tat es laut und heftig, mit Pathos und Tremolo: in Ahnungslosigkeit. Denn so hatte es weder Sachs gemeint noch Goethe, – noch der nachhaltigste Vermittler des Nürnberger Dichter-Handwerkers: Richard Wagner.

XIII. Hans Sachs als Deinhardsteins zensierter Held

„Göthe, von der Direction des königl. Hoftheaters zu Berlin benachrichtigt, daß sein bekanntes, treffliches Gedicht, ‚Hans Sachs', bey der Aufführung von Deinhardsteins ‚Hans Sachs' gesprochen werde, hat dieß nicht nur mit Vergnügen vernommen, sondern auch dem Theater, von dem er sich schon längst zurückgezogen, wieder bey diesem erfreulichen Anlasse einen Blick schenkend, zu genanntem Werke eine passende Einleitung hinzu gedichtet."

So notiert es 1829 eine Fußnote in Deinhardsteins „Dramatischem Gedicht", dem 1827 zu Wien uraufgeführten „Hans Sachs".

Mag der alte Goethe sich nun einfach geschmeichelt gefühlt, mag er durch sein Leben hindurch eine gewisse Beziehung zu einem seiner Jugend-Helden bewahrt haben (das Stück selbst hat übrigens noch einen eigenen Prolog, so daß die Zuschauer damals insgesamt drei Vorsprüche geduldig haben hinnehmen müssen): – interessant an diesen nun wirklich herzlich dürftigen, eigens zum besagten Anlaß gefertigten Empfehlungsversen ist weniger die unverblümte Rühmung der mageren Deinhardsteinschen Pièce als vielmehr der Umstand, daß Goethe seinen neuen der „Poetischen Sendung" vorgesetzten „Prolog" durch einen *Minnesänger* sprechen läßt, das Jahr „Eintausendfünfhundert" also wie selbstverständlich der Periode mittelalterlicher Kunst zuschlägt.

Was nun Deinhardstein angeht, Hofdichter, Professor der Ästhetik, Vize-Direktor des Burgtheaters (1794–1859), so wurde sein Stück „an fast vierzig Bühnen aufgeführt, erlebte mehrere Auflagen und wurde in verschiedene fremde Sprachen übersetzt".[34] Ein schwaches Stück, um es milde auszudrücken, und der Erwähnung nicht wert, wäre nicht deutlich, daß Wagner es gekannt und genutzt hat. Schwerlich in der Urfassung, vermutlich eher in der Form, die dem Kapellmeister ex officio bekannt sein mußte: Deinhardsteins Text (übrigens „ein merkliches Katzbuckeln und Schielen ‚nach oben'")[35] wurde sehr bald schon durch Philipp Reger zum Libretto für Albert Lortzing umgearbeitet (in Gemeinschaft mit Lortzing selbst und dem Freunde Düringer).

In der ersten wie der bearbeiteten Fassung ist Hans Sachs nicht nur der Held, sondern er ist jugendlicher und also liebender Held. Die Positionen sind einfach. Hier die vertrottelt-vertrockneten, auch intriganten Bürger und Meistersinger als Vertreter des Establishments – dort der junge, zu seinem einfachen Handwerk stehende und begabte Dichter Hans Sachs. An der Antithetik droht die Liebe des Schusters zur Tochter des reichen Goldschmieds und Bürgermeisters zu scheitern – aber als Deus ex machina bringt Kaiser Maximilian alles ins rechte Lot. In des Fürsten hymnischer Apotheose endet Deinhardsteins Werk – ein peinliches Zeugnis dramatisierten Herrscherlobs und pathetischer Untertanengesinnung: Deinhardstein „war ein Mann Metternichs: er war sogar dessen literarischer Zensor":[36] Der Dichter wird auf Kaisers Geheiß mit dem Lorbeer gekrönt. Sachs „stürzt zu den Füßen des Kaisers in tiefster Rührung" und deklamiert:

> Hab't Ihr, mein hoher kaiserlicher Herr,
> Mir jede Ader heiß mit Dank durchström't,
> So lehrt mich noch, wie ich ihn tragen kann,
> Daß er mir nicht die volle Brust zersprengt.

Maximilian:

> Wenn das Talent, das ich in dir belohnt',
> Du nur zum *Schönen* und zum *Guten* üb'st,
> Und nicht vergiß't, was dir als Bürger ziemt.
> (Zu den Umstehenden.)
> Lebt wohl! Lebt Alle wohl!
> (Geht mit dem Gefolge ab.)

(*Alle Rufen*)
Heil Kaiser Max!
Heil Habsburg! Heil für immer!
(Die Bürger schwingen in freudigem Jauchzen, Hüte, Mützen und Fahnen, unter einem Tusch von Trompeten und Pauken fällt der Vorhang.)

Man erkennt hier das Muster, nach dem Wagners Schlußszene gemacht ist – nur daß dem einen Konzept das andere radikal widerspricht: Deinhardstein weist den Bürger in seine Schranken – vierzig Jahre später ist es der Bürger, der adliges Denken und Handeln demonstriert und unter dessen behutsamer und herrscherlicher Regie der noble Junker ein Meistersinger, ein Bürger werden muß, um der Liebe des Bürgermädchens wert zu sein.

Die Fassung durch Reger und Lortzing ist dramaturgisch subtiler und artistischer gebaut. Dem Liebespaar ist ein Buffopaar kontrastierend zur Seite gestellt, retardierend ist die merkwürdige Intrige des Manuskript-Diebstahls eingebaut, die dann bei Wagner nicht nur an Kompliziertheit zunimmt, sondern seinem Sachs merkwürdig zwielichtige Züge gibt (s. u. S. 70f.).

Erst Wagners raffiniertes Sensorium für dramatisch-dramaturgische Mittel und ihre Wirkung macht aus solchen überlieferten Material-Traditionen ein Kräftespiel: Dadurch daß Sachs scheinbar dem erotischen Turnier entrückt wird, gerät er recht eigentlich in diese energetisch aufgeladene Konfliktsituation hinein.

Ein Männer-Dreieck um Evchen:

Sachs (für und) gegen Stolzing;
Stolzing und Beckmesser gegeneinander;
Sachs und Beckmesser gegeneinander:

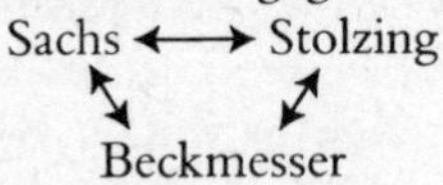

Hans Sachs, der nicht Tristan sein kann und nicht Marke sein will –, auf welchem Wege kam er zu Wagner, kam Wagner zu ihm?

XIV. Wagner konzipiert die „Meistersinger"

Das Neunzehnte Jahrhundert als das des Bürgers ist auch das seiner Gegenfigur: das des Künstlers. Vollendeter Repräsentant eben des Künstlers als Gestalt, als ‚Sendung' und als Lebensform ist – bis hin zur perfekten Parodie seiner selbst – Richard Wagner. Teil solcher Künstlerexistenz sind auch die ständigen Selbstverlautbarungen. Mag ihr annalistischer Regestenwert im Einzelnen anfechtbar sein, so sind sie doch allemal ein historisches Dokument von staunenswerter Aussagekraft „in Betreff" (um es mit der Wagnerschen Lieblingsphrase zu sagen) der Kontrolle und Registrierung künstlerischer Prozesse: so vor allem bei der stilisierenden Buchung des Augenblicks der „Inspiration". Man denke an jenen urgebärenden Es-Dur-Akkord des „Rheingold"-Vorspiels, empfangen auf dem Nachmittagsschlaf-Sofa in La Spezia am 5. September 1853. Oder man denke an das die Komposition der „Meistersinger" auslösende Tizian-Erlebnis zu Venedig; man denke schließlich an die sentimentale Karfreitags-Legende, die der Konzeption des „Parsifal" Weihe geben sollte (und die Wagner dann, wie man Cosimas Tagebuch Band II entnehmen kann, tapfer widerrufen hat). Ähnliche Sorgfalt begleitet den Künstler bei Schilderung der verschiedenen Wachstumsstufen, ihrer Varianten und Korrekturen bis hin zum beendeten oder vollendeten Werk. Wenn man von Hans Sachs gesagt hat, er sei sein eigener Literarhistoriker und der Philologe seiner selbst gewesen,[37] so deutet sich hier eine Affinität Sachs : Wagner an. Denn Hauptmotiv für Wagners voluminöse Autobiographie „Mein Leben" war sein (und Cosimas) Bedürfnis, sich als künstlerische Jahrhundertgestalt derart zuzubereiten, daß der Nachwelt zur Korrektur wenig Chance blieb. Oder doch zumindest ihr Verständnis apriorisch gelenkt, gesteuert wurde.

Was nun die „Meistersinger von Nürnberg" angeht, so beruft sich Wagner auf eine Reihe von Erlebnissen, Vorgängen und Erinnerungen und ergänzt sie – was wesentlicher ist – durch Hinweise auf innere Motivationen. In der programmatischen, Juli-August 1851 ausgearbeiteten „Mitteilung an meine Freunde"[38] verweist Wagner auf sein (von wohlmeinenden Freunden genährtes und gemehrtes) Bedürfnis, um des einfachen Publikums- und Bühnen-Erfolges halber eine Oper „leichteren Genres" zu verfassen. Im Juli 1845 war ihm im böhmischen Marienbad „plötzlich das Bild eines komischen Spieles, das in Wahrheit als beziehungsvolles Satyrspiel meinem ‚Sängerkrieg auf Wartburg' sich anschließen konnte", erschienen. Es folgt dann in der „Mitteilung"[39] ein präziser erster Aufriß der „Meistersinger"-Dichtung. Deren Details waren nun natürlich nicht lediglich des Autors Phantasie entsprungen. „Mein Leben"[40] unterrichtet darüber, daß Wagner sich für Marienbad mittelalterlich ausstaffiert hatte, das heißt, als Lektüre hatte er sich den „Parzival" und den „Lohengrin" mitgenommen – von wo der Schritt zu Hans Sachs nicht allzuweit war, und sei er auch als Fluchtschritt vor dem übermächtig sich aufdrängenden Lohengrin-Thema zu verstehen: „Aus wenigen Notizen in Gervinus' ‚Geschichte der deutschen Literatur' hatten die *Meistersinger von Nürnberg,* mit *Hans Sachs,* für mich ein besondres Leben gewonnen. Namentlich ergötzte mich schon der Name des ‚Merkers' sowie seine Funktion beim Meistersingen ungemein." So kam ihm denn (eine klassische Inspirations-Pose) „auf einem Spaziergange die Erfindung einer drolligen Szene an": die nämlich der Konfrontation des durch den Hammer merkenden-werkenden Schusters mit dem sein Ständchen bringenden versingenden Merker. Dazu: eine enge Nürnberger Gasse, Nachbarn, Alarm, Straßenprügelei – und diesem Zweiten Akt als dem Kern entwächst binnen kurzem die Prosaskizze des ganzen Dramas.[41] Drei Wochen später ist dann der Prosa-Entwurf des „Lohengrin" fertig, damit ist der Kuraufenthalt, auf seine eigentliche Weise sinnlos, höchst sinnvoll abgeschlossen. Und wiederum drei Monate später, am 19. Oktober 1845, wird in Dresden der „Tannhäuser“ uraufgeführt (nach allergrößten Schwierigkeiten der Einstudierung).

Ist schon solche Kumulation kreativer Energien staunenswert, so macht die Inkubationszeit mit schließlichem Ausbruch nicht minder staunen: Wie da ein schöpferischer Entwurf sich in seiner ‚Richtigkeit‘ beglaubigt, indem er getrost sechzehn Jahre (fast) sich selbst überlassen bleibt – und dann, aus kaum einsehbarer Ursache, wieder aufbricht und zu sich selbst kommt (nach der freilich selbstvergewissernden Zwischenstation der „Mitteilung“ 1851, die indes den Übergang von Entwurf zu Werk nicht initiiert hat).

Im November 1861, die Partitur des „Tristan“ ist vollendet, das Verhältnis zu den Wesendoncks krisenhaft-heikel, verläßt Wagner – eine flüchtige nur seiner vielen Fluchten – aus innerer und äußerer Trostlosigkeit Wien. Die Wesendoncks haben ihn nach Venedig eingeladen, und in der *Accademia* erlebt Wagner dann eine Art Erweckung:

„Bei aller Teilnahmslosigkeit meinerseits muß ich jedoch bekennen, daß Tizians Himmelfahrt der Maria im großen Dogensaale eine Wirkung von erhabenster Art auf mich ausübte, so daß ich seit dieser Empfängnis in mir meine alte Kraft fast wie urplötzlich wieder belebt fühlte.“

Und dann folgt *martellato* der simple Satz: „Ich beschloß die Ausführung der ‚Meistersinger‘.“[42] Wie das? Sechzehn Jahre hat der Entwurf geruht, im novemberlichen Venedig aber erwacht das Satyrspiel aus Nürnbergs engen Gassen aufs neue, erwachen Fachwerk und Giebel, Zunft und Brauch und deutsche Kunst vor Tizians zum Himmel auffahrender Madonna?

Die Spur soll hier nicht weiter verfolgt, die Frage noch nicht beantwortet werden, sie wird in anderem Zusammenhang gründlich zu erörtern sein.[43]

Wie auch immer: Er fährt schnurstracks nach Wien zurück, und konzipiert in der Eisenbahn „mit größter Deutlichkeit den Hauptteil der Ouvertüre in C-Dur“. Das läßt die Stimmung ins Behagliche umschlagen, in Wien wird sogleich der Freund und bewundernde Schüler Peter Cornelius eingespannt für die Materialbeschaffung, nämlich nächst Jacob Grimms berühmter Erstlings-Arbeit „Über den altdeutschen Meistergesang" (1811) die Chronik des Altdorfer Professors Johann Christoph Wagenseil „Von der Meister-Singer Holdseligen Kunst" aus dem Jahre 1697. Der Gegenspieler aber erhält nun einen Namen, der Merker heißt: Veit (!) Hanslich.

XV. Die „Meistersinger" und ihr Merker

Der Wiener Musik- und Theaterkritiker, der erste Name damals seiner Zunft, Dr. iur. Eduard Hanslick, war geboren am 11. September 1825 in Prag. Und begegnet war er Wagner zum ersten Mal im Alter von zwanzig Jahren, nämlich ausgerechnet bei Gelegenheit jenes Kuraufenthaltes in Marienbad 1845 (dem sich die erste Prosaskizze der „Meistersinger" verdankt). Wie man weiß, hieße es Hanslick und seine Bedeutung fahrlässig vereinfachen, wenn man ihn mit Wagner lediglich als den Wagner-Widersacher sieht. Er war viel zu sehr intimer und souveräner Musik-Kenner, um nicht auch das Bedeutende an Wagners Musik zu erkennen – distanzierte sich freilich schon in der (an sich rühmenden) „Tannhäuser"-Rezension (Herbst 1846) von dem „Mißbrauch mit verminderten Septimeaccorden"[44] und rückt nach der „Lohengrin"-Uraufführung weiter ab von dem Neutöner (zugunsten vermehrter Vorliebe für die ‚konservative', d. h. der Romantik verpflichtete Musik, was ihn durchaus konsequent zum Förderer des zwanzig Jahre nach Wagner geborenen Johannes Brahms macht). Zum Bruch kommt es am 23. November 1862. Wagner liest in der Wohnung seines Freundes und Förderers Dr. Standhartner zu Wien die „Meistersinger" mit bewährtem theatralischen Rezitations-Temperament vor („Wie dies jetzt überall geschehen war"). Der Gastgeber hatte gehofft, Gutes zu wirken und also auch den Dr. Hanslick geladen. Wagner nun beschreibt den Abend mit fromm gespielter Arglosigkeit:

„. . . bemerkten wir im Verlaufe der Vorlesung, daß der gefährliche Rezensent immer verstimmter und blässer wurde, und auffallend war es, daß er nach dem Beschlusse derselben zu keinem längeren Verweilen zu bewegen war, sondern alsbald in einem unverkennbar gereizten Tone Abschied nahm . . ."

Auffallend wird man es vielmehr finden wollen, daß Hanslick überhaupt den Takt und die Kraft der Beherrschung aufbrachte, die Vorlesung anzuhören bis zum „Beschlusse derselben".

Wagner weiter:

„Meine Freunde wurden darüber einig, daß Hanslick diese ganze Dichtung als ein gegen ihn gerichtetes Pasquill ansähe und unsere Einladung zur Vorlesung derselben von ihm als Beleidigung empfunden worden war. Wirklich veränderte sich seit diesem Abend das Verhalten des Rezensenten gegen mich sehr auffällig und schlug zu einer verschärften Feindschaft aus, davon wir die Folgen alsbald zu ersehen hatten."[45]

Im Winter zuvor (1861/62) hatte Wagner das altfränkische Spektakel, die deutsche Festoper schlechthin, die ihren Willen auf Vollendung angesichts des Tizian in Venedig fordernd signalisierte, im Hotel „Voltaire" zu Paris endgültig „in massenhaften Reimen anschwellen lassen".[46]

Da bezeugt sich die stimulierende Funktion eines Gegenprogramms: unter dem Hotelfenster das Volk von Paris, jener Stadt, die den Meister einst in erbärmlichen Hungerjahren, die ihn jetzt mit dem „Tannhäuser"-Skandal peinlicher gedemütigt hat als jede andre. Hinter dem Hotelfenster aber quellen nunmehr biedersinnige Verse „massenhaft" auf, sie entwerfen deutsche Art und Kunst, entwerfen Meisterehre und Zunftwesen, und Johannisnacht treibt um im „Voltaire".

1868, am 21. Juni, werden die „Meistersinger" in München uraufgeführt – und steigern sich bald ungeachtet des Berliner Rückschlags von 1870 zu dem „Welterfolg" (Hans Mayer), der sie heute noch sind. An Mathilde Wesendonck schreibt Wagner nach der Komposition des Vorspiels zum III. Akt am

22. Mai (seinem Geburtstag) 1862: „Es ist mir nun klar geworden, daß diese Arbeit mein vollendetes Meisterwerk wird und – daß ich sie vollenden werde.“[47] Solches Wort erklärt sich aus dem Anteil, den Mathilde an der Entstehung der Entsagungs-Oper hatte. Hinzu mag man die bekannte Euphorie im Augenblick des Schaffens rechnen, die doch oft genug abgelöst wird durch Kleinmut und Niedergeschlagenheit. Dennoch besteht Grund, Wagners Selbsteinschätzung dieser seiner „Oper“ von den Meistersingern ernst zu nehmen. Sie vereint vieles, vielleicht allzu vieles von dem, was sein Werk insgesamt ausmacht. Um es in Werktiteln zu sagen: „Tannhäuser“; „Tristan“; die Wotan-Brünnhilde-Tragödie, – und mehr noch.

XVI. Meister Narziß im Wirthaus zu Nürnberg

Es bleibt die Pflicht zur genaueren Musterung zweier Moventien im Entstehungsprozeß der „Meistersinger“: Man mag es drehen und wenden wie man will, die eigentliche Keimzelle dieses strahlenden Festspiels ist eine peinlich-primitive Prügelszene, ausgelöst durch einen Vorgang, der nicht frei ist von bierdumpfem Kneiptisch-Sadismus:

1835 ist Wagner Musikdirektor in Magdeburg, verlobt mit Minna Planer, schlägt sich herum mit seinem sich auflösenden Ensemble. Er passiert zum ersten Male Bayreuth („vom Abendsonnenschein lieblich beleuchtet“), kommt dann nach Nürnberg auf der Suche nach neuen Ensemblemitgliedern, erhofft sich dort von Schwester Klara und dem Schwager Wolfram, Mitgliedern des Nürnberger Theaters, Hilfe. Im übrigen aber hat dieser Aufenthalt (nächst der aufrührenden Wiederbegegnung mit der Schröder-Devrient) „nach einer andren Seite hin besondre Eindrücke auf mich hinterlassen, welche, so unscheinbar, ja trivial ihre Veranlassung war, doch mit so großer Stärke in mir hafteten, daß sie späterhin, in eigentümlich erneuter Gestalt, in mir wiederauflebten“.[48] Dieses „späterhin“ war zehn Jahre später, in Marienbad.

Wagner also geht mit dem Nürnberger Schwager ins Wirtshaus. Dort aber treibt man mit dem Tischlermeister Lauermann ein schäbiges Spiel: Dieser nämlich, in dem unter sensibeln Männern nicht selten anzutreffenden Wahnglauben, über schönes Stimm-Material zu verfügen, läßt sich regelmäßig von seinen Saufkumpanen dazu verleiten, selbstverliebt sein klägliches Belcanto anzustimmen, – um zum Dank von seinem abgefeimten Publikum grausam verhöhnt zu werden. An der sadistischen – übrigens höchst plastisch und nicht ohne Reiz der Darstellung geschilderten – Szene ist Wagner insofern schuldhaft mitbeteiligt, als er es duldet, dem „armen Meistersänger" als der berühmte italienische Sänger Lablache vorgestellt zu werden. Der eitle Tischler also, nun panisch animiert, singt, er ‚versingt' aufs furchtbarste, die Demütigung geht soweit, daß der Betrunkene schließlich in einer Schiebkarre nach Hause gefahren wird (Wagner flicht in die Schilderung Worte der Zerknirschung und des Bedauerns angesichts seiner Mitschuld an dem schäbigen Spiel ein). Das dumpfselige Saufvergnügen endet mit einer Prügelei vor dem Wirtshaus zwischen Stammgästen und Handwerksburschen, und zwar endet es dank einer, so Wagner, „alten Nürnberger Kampfart": „Einer der Stammgäste (. . .) hatte nämlich (. . .) einen der heftigsten Schreier durch einen gewissen Stoß mit der Faust zwischen die Augen besinnungslos (. . .) zu Boden gestreckt." Der Erfolg: alles stiebt auseinander, – folgt gemütlicher Heimweg Arm in Arm „durch die monderleuchteten einsamen Straßen".[49] *Lobet Gott den Herrn . . .*

Da ist vieles versammelt: Die Kunst, und zwar in der Spielart ihrer absurden Degeneration. Die überhebliche Eitelkeit des (arglosen) Meistersingers. Die mitleidlose Brutalität der Meute und ihre Fähigkeit, im Kollektiv alle Hemmung zu verdrängen und Scham erst im Hernach, in der Vereinzelung, abbittend zu verspüren. Da ist aber auch das peinliche Täuschungsmanöver: Einer der kein ‚rechter' Sänger ist, gibt sich für einen solchen aus. Das ist ein Trick außerhalb wenn nicht der Legalität so doch der Redlichkeit, ein Trick, der sich von der ersten Keimzelle bis in die letzte Ausführung der „Meistersinger" konserviert hat.

Eine sehr deutsche Angelegenheit ist da vorgeführt: Die Affinität von idyllisch-handfester Wirtshausmännlichkeit, von irregeleitetem Kunstsinn, von der Lust an der Gewalttat, bis hin zum „Nürnberger Faustschlag", aus purer Rauflust, – mit dem Ende plötzlicher Einkehr von Ruhe und Ordnung. Und über den stillen Gassen der Mond. Es ist das gleiche Volk, das in der Johannisnacht prügelt und tags darauf fromm-inbrünstig der Religion und der Kunst huldigt:

„Die Meistersinger sind das Werk eines Humors, dem nicht zu trauen ist. (. . .) Auf dem Grunde der altdeutschen Idylle, die Wagner ausmalt, mit verwinkelten Gassen und betörendem Fliederduft, liegt ein Zug zur Gewalttätigkeit verborgen. Das Volk, das sich im dritten Akt zum Lob von Reformation und *heiliger deutscher Kunst* versammelt, stürzt sich im zweiten in eine absurde Prügelei, deren Ursachen in umso tiefere Schichten hinabreichen müssen, als der Anlaß nichtig ist":

Überzeugend so Dahlhaus.[50]

XVII. Hans Sachs und Wagner: Dramatiker des Epischen

Schließlich ein Blick auf das zweite noch zu betrachtende Movens: auf die erste Quelle meistersingerlicher Kunst, die Wagner zu Gesicht kam. In Marienbad, zehn Jahre nach der Nürnberger Szene, erfüllt von der Lektüre mittelhochdeutscher Epen und Mythen (s. o. S. 60), erinnert Wagner sich einiger „Notizen" in Gervinus' „Literaturgeschichte".[51] Drei Jahre zuvor war deren zweite Ausgabe erschienen (1842).[52] In der Tat ist die Ausführlichkeit ebenso erstaunlich wie die sachliche Gerechtigkeit, mit der Gervinus Sachs zuteil werden läßt, was man wohl eine „Würdigung" nennen muß: auf nicht weniger als 22 Seiten[53] (während z. B. Wolframs „Parzival" sich mit 23, Gottfried sich mit 20, das Nibelungenlied sich mit 18 Seiten begnügen muß). Das mag in der Tat Wagner interessiert und bewegt haben, und doch vermute ich, daß es nicht dieses ausführliche Schlußkapitel des Zweiten Bandes gewesen ist, das ihn für Hans Sachs und den Meistersang gewann, sondern eine eher beiläufige Bemerkung zu Beginn des „Dritten Theils". Wagner mit der dem Genie nicht nur eigentümlichen sondern unentbehrlichen Begabung, überall fündig zu werden wo das Eigene und seine gärende und wuchernde Problematik betroffen ist, konnte dort lesen: Es müsse Hans Sachs immer gerühmt werden als der, „der zuerst (. . .) auf den epochemachenden Gedanken fiel, die ganze poetische Welt aus der epischen Form in die dramatische überzusetzen".[54]

Ein solches Wort hat geradezu bewußtseinsöffnende, hat explosive Kraft in seiner Fähigkeit, formelhaft ein Lebensproblem und Kunstprojekt von säkularem Anspruch und Ausmaß zu formulieren. Hier war ja angedeutet, was Wagner vor Augen stand: *Die Überführung episch-mythischer Welterfahrung in die dramatische, die schließlich alle Gattungsprovinzen und ihre Grenzen aufhebende Form des musikalischen Gesamtkunstwerks.*

So mag es denn sein, daß hier, in der Berührung zweier Konzeptionen, in der Berührung von handwerklicher Biederkeit und subtiler Artistik, die Keimzelle für Wagners Hinwendung zu Sachs gesehen werden muß, – so wenig von diesem Konzept in der Oper selbst geblieben ist. Wohl aber ist deutlich genug, in welchem Maße Wagners Sachs Wagner in sich aufgenommen hat. In Sachs dem skeptischen Schopenhauer-Weisen und seinem Durchschauen des Wahns, in Sachs dem melancholisch Entsagenden, in Sachs dem der Tradition verpflichteten und doch und deshalb das Neue wollenden und befördernden Künstler, in Sachs schließlich als der Stimme und Inkarnation der „heil'gen deutschen Kunst" ist Wagner aufgehoben und erhoben.

Denn endlich geht es in dieser kolossalischen Idylle der „Meistersinger“ auch um den alten, mit aller Kunst zugleich gegebenen Streit um *rechte und falsche Kunst:* das Wagnersche Lebensproblem. Dabei faßte er 1845, treu in Grimmschen Spuren, „Hans Sachs als die letzte Erscheinung des künstlerisch produktiven Volksgeistes auf, und stellte ihn mit seiner Geltung der meistersingerlichen Spießbürgerschaft entgegen“.[55] Man setze an die Stelle dieser Antagonisten getrost die Namen Wagner hier und Hanslick oder Meyerbeer dort, und man hat die ganz persönliche ja private Urzelle dieses deutschen Festspiels. Das übrigens schon in der „Mitteilung“, also 1851, das apotheotische Verspaar kennt[56] („Sachs vertheidigt da die Meistersingerschaft mit Humor, und schließt mit dem Reime:“)

> Zerging' das heil'ge römische Reich in Dunst,
> Uns bliebe doch die heil'ge deutsche Kunst.

Das den Primat der Kunst, ihre Autonomie und ihren Überlebensanspruch lauthals betonende Moment der Schlußszene ist oft nicht erkannt, oder, wo erkannt, mißachtet worden. Wagner hat vom historischen Sachs den Sinn für Ordnung, Maß, Rechtlichkeit des Bürgersinns, Gehorsam gegenüber der Autorität übernommen und bewahrt, – aber er hat ihn mit dem revolutionären Elan des eigensinnigen Kunstwillens begabt, der das Ende der heiligen Nation immerhin erwägt, das der Kunst in ihrem gleichfalls heiligen Weihecharakter indessen nicht für möglich hält.

Das hat er nicht von Deinhardstein, nicht von Reger-Lortzing. Da mag, stärker als bisher erkannt, Goethe durchschlagen (s. u. die Abschnitte XX und XXI).

Was Deinhardstein und in seinen Spuren Reger-Lortzing sich als Finale erdacht haben, muß auf uns läppisch wirken: in der ursprünglichen Fassung setzt der Schlußchor ein:[57]

Wir jauchzen laut aus voller Brust,
Heil Max, dir, Deutschlands Sonne!
Du bist des Volkes Glück und Lust,
Bist seine höchste Wonne.
Drum jauchze, wer ein deutscher Mann:
Hoch lebe Maximilian!

Folgt immerhin ein Hoch auf „die Lieb'" und das Vaterland.

Das umgearbeitete Lortzing-Finale unterscheidet sich jedenfalls in diesem Punkte nicht vom Tenor des ursprünglichen, vielmehr behält jetzt das Kaiserhoch das durchaus letzte Wort:

Darum jauchze jeder deutsche Mann:
Hoch lebe Maximilian.
Ende.

Schwer zu verstehen, wieso Baberadt urteilt, es steche „dieser Schluß gegen die Deinhardsteinsche Lobhudelei wohltuend ab".[58] Wer indessen nichts anderes sehen will als die katzbukkelnde Haltung der würdelosen Devotion, sei an die Tradition der Österreichischen Barockoper erinnert. Natürlich schmeichelt der Hofpoet und Kaiserliche Beamte Deinhardstein dem Hause Habsburg auf schamlos direkte Weise.[59] Doch hat die Methode Tradition. Dieser festliche

„Schluß ist letztlich dem Wiener Barocktheater verpflichtet und nimmt dessen Tradition auf. In der Wiener Barockoper, im höfischen Ballett und ebenso in den ‚Ludi Caesarei', den Kaiserspielen des Wiener Jesuitentheaters, war die aus der frühen venezianischen Oper übernommene ‚Licenza', die Huldigungsszene an das Herrscherhaus der Habsburger, fester dramaturgischer Bestandteil und Schluß- und Höhepunkt der festlichen Theatervorstellung".[60]

Umso gewichtiger die konsequente ‚Demokratisierung' der vorgegebenen Szene durch Wagner, – der schließlich nunmehr seinerseits seit vier Jahren sich der tätigen Huld eines Fürsten erfreute und bediente und also Grund genug gehabt hätte, den legitimierten Anlaß zu einem Panegyricus und Fürstenlob bequem und unverdächtig zu ergreifen.

Es kann hier nicht um die einzelnen Stadien der Rezeption und Umformung der Figur des Hans Sachs und der übrigen Gestalten des Dramas durch Wagner gehen. Den Vergleich mit den Vorgängern hat vor allem Baberadt sorgfältig vorgenommen, vor ihm Eichler, nach ihm Bauer. Doch verdient die Intrige, die Hochstapelei mit dem abhanden gekommenen Preislied und die mit der Unterschlagung verbundene Autor-Anmaßung noch eine Überlegung. Daß hier überhaupt ein spannungsteigerndes Stück Kriminalistik eingebaut ist, verdankt sich Reger (-Lortzing). Dort ist es Hans Sachsens Lehrjunge Jörg, der das Manuskript stiehlt. In Wagners erstem Entwurf vom 16. Juli 1845 verhält es sich im Prinzip nicht anders, auch hier läßt der Dichter seinen Helden noch weitgehend heraus aus der üblen Affaire:

Der Merker, den Schuster aufsuchend,

„erblickt das Lied auf dem Arbeitstische, liest es, findet es für sich passend – er ist im Zweifel, ob er es einstecken soll: als Sachs eintritt, steckt er es unbewußt (!) schnell in die Brust".

Er schämt sich, übt tätige Reue, bekennt den Diebstahl, Sachs gibt vor, den Autor nicht zu kennen – und der Merker blamiert sich schließlich auf der Festwiese mit dem schlechten Vortrag eines guten Liedes.[61]

Das alles ist noch milde und einigermaßen spannungslos. 1851, in der „Mitteilung", ist aus dem Fehlgriff des Merkers eine von Sachs dirigierte Intrige geworden: Auf des Merkers Forderung nach einem (seinem mißglückten Ständchen überlegenen) Liede liefert Sachs ihm Stolzings Lied aus, „von dem er vorgibt, nicht zu wissen, woher es ihm gekommen sei".[62] Und in der endgültigen Fassung wird dem unseligen Werber listig die Überzeugung insinuiert, er dürfe mit einem Sachs-Original (das eben keines ist!) gefahrlos Etiketten-Schwindel treiben. Auf solche Weise wird ein Mann, der ja nicht irgendeiner ist und der seine Verdienste hat, vorsätzlich ruiniert. Ist das die feine fränkische, die echte deutsche Art, agiert da der Biedersinn, schlägt da das treu-fühlende Herz? Offenbart sich da das redliche Gemüt, das nunmehr seit Beginn des Neunzehnten Jahrhunderts beharrlich zum Bild des Meisters gehört, zu seiner Zeit, zu seiner Stadt Nürnberg? (Im Drama, in der bildenden Kunst wie in der Inszenierung der Festzüge gilt „das 16. Jahrhundert als das klassische deutsche Zeitalter und Nürnberg als *die* ideale deutsche Stadt."[63]) Die Vermutung sei spielerisch erwogen: Es ist das Sächsische, das sich hier dem Fränkisch-Altfränkischen „helle"-widerborstig eingelagert hat, der Sängerkrieg in Nürnberg brauchte seine Kabalen wie der auf Wartburg, und ihr Meister *hieß* zwar nicht aber *war* ein „Sachs".

Was nun freilich die noble und konsequente Förderung des jungen Adligen und Dichters angeht, so hat Wagner darin ein Stück des historischen Sachs in das Verhalten seiner Meister-Figur verwandelt: In Stolzing wird ja das Hohe Mittelalter, wird dessen Kunst und pathetische Anmut gefördert, Stolzing hat seinen Kunstgeschmack (und nicht nur ihn) gebildet an den Idealen der ritterlichen Hochzeit, und Herr Walther von der Vogelweid, der ist sein Meister gewesen. So hatte, auf seine treuherzige Weise, einst der historische Hans Sachs das Mittelalter gefördert und befördert und Tristans strenge Lieb und Siegfrieds Heldenkräfte bürgerlich heroisiert.

XX. Goethes Sachs und Wagners Meister

Blickt man noch einmal zurück auf den, der all diese Sachs-Romantik enthusiastisch in Bewegung versetzt hat, auf Goethe also und sein Poem der Beschreibung eines (imaginierten) Holzschnittes von 1776, so berührt es erstaunlich, wie vieles hier schon vorgeprägt und von Wagner aufgenommen worden ist:

In seiner Werkstatt Sonntags früh
Steht unser teurer Meister hie,
Sein schmutzig Schurzfell abgelegt,

Ein sauber Feierwams er trägt,
Läßt Pechdraht, Hammer und Kneipe rasten,
Die Ahl' steckt an den Arbeitskasten;
Er ruht nun auch am siebenten Tag
Von manchem Zug und manchem Schlag.

Diese erste Strophe hat, wie seit langem erkannt, das Szenarium geliefert für das Bild 3, I der „Meistersinger". „In Sachs' Werkstatt": Feiertagsstimmung, Lehnstuhl, Morgensonne, heimelig-unheimliches Frühsommer-Weben.

Indessen hat die Exposition von Goethes Gedicht Wagner nicht nur die Exposition des Dritten Aktes geliefert, sondern eben auch dessen – also des ganzen monumentalen Stückes – Finale.

Goethe endet:

In Froschpfuhl all das Volk verbannt,
Das seinen Meister je verkannt!

Damit hat er Wagner ein höchst bedeutungsvolles Stichwort geliefert. Die Tradition der Wiener Oper, die Tradition des Sachs-Dramas fordert, wie dargelegt,[64] die Herrscher-Apotheose als Steigerung und Ende des Ganzen. Dichter-Lob, das gewaltig überführt wird in Fürsten-Rühmung. Irdische Gewalt und Herrschermacht als Garant, Schutzgott und Mäzen der Kunst. „Heil Kaiser Max!"

Es muß auf den ersten Blick verwundern, daß Wagner sich die Chance, nationalpathetisch aufzubrausen, hat entgehen lassen, da ihm doch viel lag an Publikums- und Herrschergunst und da doch die Zeit jedweder rauschhaften Bekundung nationaler Herrlichkeit nur allzu aufgeschlossen war. Solche Überlegung ist zwar nicht unangemessen, sie ignoriert jedoch, daß der einstige Revolutionär und jetzige Königs-Protegé Grund hatte, mit dem Verhalten sowohl des Publikums wie der deutschen Fürsten unzufrieden zu sein: Weder die eine noch die andere Instanz wurde seinem Genie gerecht, – und so peinlich sich diese Feststellung ausnimmt, wo sie vom Betroffenen selbst stammt, so ist sie doch historisch nicht falsch. Wagners gewaltiger Anspruch an Kunst, an sich selbst, an eine Umwelt, die da gehalten ist, diesen monumentalen, sich in seiner Person und seinem Werk verwirklichenden Kunstbegriff zu erkennen und zu honorieren: diese Haltung also hat zur Folge, daß seine „Meistersinger" nicht ein- und ausmünden in eine brausende Huldigung des Fürsten; nicht gipfeln in einer Verherrlichung des Nationalen; sondern in der Denkmalsenthüllung für die, für den *Meister.* Das heißt: für die Kunst. Und das heißt natürlich: für denjenigen, der sich in dieser Oper als Meister der Kunst aufs herrlichste bewährt, der in ihr Widersacher und Kleingläubige blamiert und beschämt, der in Sachs und Stolzing sich und seine Meisterschaft vorstellt und preist, – alter Regel verpflichtet und sie durch Hineinnahme des Neuen herrlich überwindend: Richard Wagner.

Die Suprematie der Kunst gegenüber den Ansprüchen der nationalen Herrlichkeit und der Fürsten-Würde geht in der Tat weit:

zerging in Dunst
das Heil'ge Röm'sche Reich,
uns bliebe gleich
die heil'ge deutsche Kunst!

Das ist eine die Autonomie und Souveränität der Kunst mit elitärem artistischen Selbstbewußtsein formulierende Aussage, die sich eher zu Baudelaire und George als zu Hans Sachs fügt und deren prophetische Substanz sich an kaum jemandem so spektakulär bewährt hat wie an Wagner und seinem Werk – auch wenn man den peinlichen Ruch des Sakralen abstreift von Nation und Kunst, den Wagner-Sachs hier ausschwenken. „Heil Sachs! Nürnbergs teurem Sachs!" So das Volk; so sein letztes Wort; so das letzte Wort der Oper. Ein Künstlerdenkmal von weihevoller Pracht und Wucht, und Nürnberg geht auf in Bayreuth.

Übrigens aber hat Wagner in weitaus höherem Maße sich von Goethes Knittelversen anregen lassen, als auf den ersten und zweiten Blick anzunehmen und festzustellen ist. Nicht nur deren Exposition und Schlußverse haben ihm Beginn und Ende seines Dritten Aktes vorgezeichnet, sondern ganze Elementgruppen wie Details der „Poetischen Sendung" finden sich bei Wagner wieder. (Wobei von sekundärer Wichtigkeit ist, ob er sie unmittelbar von Goethe nahm oder auf dem Wege über die dem Gedicht Goethes verpflichteten Sachs-Poetisierungen seiner unmittelbaren Vorgänger.) Wagner war ein höchst fruchtbarer Leser, will sagen: Er las nicht nur viel und mit Verstand, sondern er las – wie Thomas Mann – vor allem umsetzend und zeitgerecht, d. h. er las exakt das ihm angemessene Thema in dem diesem Thema und dem fortproduzierenden Leser günstigen Augenblick.

Da sind Stoff- und Motiv-Parallelen, an und in sich nicht belangvoll, aber in der Häufung doch bemerkenswert und frei von dem Verdacht, durch Zufall entstanden zu sein: Etwa das Rosenkranz-Motiv:

> Das Blumenkränzlein aus Seiden fein
> wird das dem Herrn Ritter beschieden sein?

Diese wiederholt spielerisch-ironisch gestellte Frage ist schon von Goethe gestellt: als nämlich die Muse dem Meister das Bild der jungen Liebe zeigt; und hier wie dort ist die Stimmung durchwoben vom erotisierenden Duft des Flieders:

> Am Bächlein, beim Holunderstrauch (. . .)
> Und bindet ein Kränzlein gar geschickt,
> Mit hellen Knospen und Blättern drein.
> Für wen mag wohl das Kränzel sein?
>
> (Goethe V. 149ff.)

Da ist das Wahn-Motiv, für Wagners Sachs die Chance zur Distanzierung von den Wirren seiner kleinen Welt kraft der

Fähigkeit, das Wahn-Prinzip der großen Welt resignierend zu durchschauen, – und damit auch Abschied zu nehmen von seinen persönlichen Ambitionen als der Witwer, der den von Pogner ausgestellten Preis also durchaus zu erringen die Möglichkeit hätte (und aufgereizt wird er ja wahrlich kokett genug durch eben diesen töricht-lieblichen Preis selbst). Die erste der allegorischen Figuren Goethes hat den Dichter

> . . . auserlesen
> Vor vielen in dem Weltwirr-Wesen,

damit er es erkenne, durchschaue, schildere und schwankhaft erträglich mache.

> Der Menschen wunderliches Weben,
> Ihr Wirren, Suchen, Stoßen und Treiben,
> Schieben, Reißen, Drängen und Reiben,
> Wie kunterbunt die Wirtschaft tollert,
> Der Ameishauf durcheinander kollert!
>
> (Goethe Vv. 40ff.; 60ff.)

Goethes Sachs wird nunmehr von einer zweiten allegorischen Figur belehrt und belehnt: „Historia, Mythologie, Fabula". Sie eben ist es, die nunmehr Wagners Sachs den „Wahn" erkennen und durchschauen läßt: In dem „großen Folianten" blätternd, klagt er (3,I):

> Wahn! Wahn! Überall Wahn!
> Wohin ich forschend blick
> in Stadt- und Weltchronik,
> den Grund mir aufzufinden,
> warum gar bis aufs Blut
> die Leut' sich quälen und schinden
> in unnütz toller Wut!
> Hat keiner Lohn noch Dank davon:
> in Flucht geschlagen, wähnt er zu jagen . . .

Bei der Erinnerung an die wilde Prügelei der letzten Nacht, die aus nichtigem Anlaß das Brutale, die irrationale Schlagedrein-Wut, das Chaotisch-Wüste im biedermeierlichen deutschen Wesen katalysiert hat, fallen mit Goethes Text sich dekkende Stichworte:

> Mann, Weib, Gesell und Kind
> fällt sich da an wie toll und blind;
> und will's der Wahn gesegnen,
> nun muß es Prügel regnen,
> mit Hieben, Stoß' und Dreschen
> den Wutesbrand zu löschen.

Es wären mehr Berührungen noch aufzuzählen, die indes nur bestätigen, was bereits deutlich ist: Wagner hat den Goethe-Text gekannt und genutzt. Genutzt zu dem Zweck, zum ersten die Disposition der Szene einzurichten. Zum zweiten, um das Finale statt mit Fürsten- mit Meisterlob auszuschmücken und es gipfeln zu lassen in der Kunst-Apotheose; zum dritten, um das Durchschauen des „Weltwirr-Wesen" (als Wahn-Motiv) zu übernehmen und Sachs mit Schopenhauer-Geste entsagen zu lassen. Vor allem aber gab ihm (zum vierten) Goethes Schilderung eines imaginierten Holzschnitts von Dürer mit der visionären Schilderung mythologisch-allegorischer Figuren seinerseits die Anregung, die „Neue Kunst" in Gestalt der visionär geschauten und geschilderten Allegorie vorzustellen. Es ist also

> auf einer Wolke Saum
> Herein zu's Oberfensters Raum
> Die Muse, heilig anzuschaun
>
> (Goethe V. 129ff.)

zu Goethes Sachs gekommen (wieder übrigens mittels Requisiten und Kulissen, die sich exakt in der einen wie der anderen Szene finden). Und sie hat dem Meister etwas mitgebracht:

> Da zeigt sie ihm hinter seinem Haus
> Heimlich zur Hintertür hinaus
> In dem eng umzaunten *Garten*

Ein *holdes Mägdlein* sitzend warten
Am Bächlein, beim *Holunder*strauch;
Mit abgesenktem Haupt und Aug'
Sitz's unter einem Apfel*baum*
Und spürt die Welt rings um sich kaum,
Hat Rosen in Ihr'n Schoß gepflückt
Und bindet ein *Kränzlein* gar geschickt,
Mit hellen Knospen und Blättern drein.
Für wen mag wohl das Kränzel sein?
So sitzt sie in sich selbst geneigt,
In Hoffnungsfüll' ihr Busen steigt,
Ihr Wesen ist so ahnde*voll,*
Weiß nicht, was sie sich wünschen *soll,*
Und unter vieler Grillen Lauf
Steigt wohl einmal ein Seufzer auf.

(V. 145–162)

(Das vorletzte Verspaar findet sich wieder in Sachs' Fliedermonolog [2, III]:

Was duftet doch der Flieder
so mild, so stark und voll!
Mir löst er weich die Glieder,
will, daß ich was sagen soll[65]).

Hans Sachs also hat honorig-listig die Entführung Evchens durch Stolzing vereitelt, hat Stolzing bei der anschließenden Prügelei in sein Haus gerettet, der nächste Morgen findet beide in abgeklärter wenngleich innerlich vibrierender Stimmung. Stolzing „hatt' einen wunderschönen Traum". Um ihn geht es, aus ihm entwindet sich das Liebes-Lied, das zum siegbringenden Preislied wird. Eine Vision, die das Wesen des Eros, der Inspiration und der Dichtung allegorisch als Genre-Szene malt. Getreu dem Goethe-Muster heißt es nun:

Morgendlich leuchtend in rosigem Schein,
von Blüt' und Duft
geschwellt die Luft,

voll aller Wonnen, nie ersonnen,
ein Garten lud mich ein, Gast ihm zu sein

(3, II).

„Das war“, so Sachs achtungsvoll, „ein Stollen“. Er bringt Goethes Garten-Bild. Der zugehörige Baum folgt im zweiten Stollen:

. . . bot goldner Frucht heilsaft'ge Wucht
mit holdem Prangen dem Verlangen
an duft'ger Zweige Saum herrlich ein Baum.

Sachs, zunehmend gerührt und belehrt von der Regel der Regelüberschreitbarkeit: „Nun stellt mir einen Abgesang.“ Der wird das Goethesche Mädchen anbringen, steht zu vermuten:

Sei Euch vertraut,
welch hehres Wunder mir geschehn:
an meiner Seite stand ein Weib,
so hold und schön ich nie gesehn . . .

„Hold“ also erscheint sie bei Goethe wie Wagner, aber entscheidend ist, daß sie dem einen wie dem anderen als Allegorie jener Form des Eros gilt, die als sinnliche Erweckung zugleich Erweckung der musischen Kräfte bedeutet. Was Goethe als Erneuerung der Jugend- und Dichtkraft des Meisters vorstellt, ist bei Wagner über den Meister auf den Jungen projiziert. Stolzing, der Pogner schon beim mißglückten Freiungs-Singen (1, III) zu dem erfreuten Kommentar nötigt: „Die alte Zeit dünkt mich erneut“, – Stolzing wird nun jener jungen holden Person teilhaftig, die ihn seine neue Kunst in der endlich und neu gewonnenen Liebe auf dem Boden tradierter Meisterschaft verwirklichen läßt:

gleich einer Braut
umfaßt' sie sanft meinen Leib;
mit Augen winkend,
die Hand wies blinkend,
was ich verlangend begehrt,

die Frucht so hold und wert
vom Lebensbaum.

Ähnlich geht es Goethes verjüngtem Sachs:

Wie er den schlanken Leib umfaßt,
Von aller Müh er findet Rast,
Wie er ins runde Ärmlein sinkt,
Neue Lebenstäg' und Kräfte trinkt;
Und dir kehrt süßes Jugendglück,
Deine Schalkheit kehrte dir zurück.

(Goethe V. 171–176)

Goethes so perfekt in Sachs'scher Mimikry gedichtete Knittelverse enden, wie's die Regel will, in einer Dichterkrönung:

Da droben in den Wolken schwebt
Ein Eichenkranz, ewig jung belaubt,
Den setzt die Nachwelt ihm aufs Haupt

(Goethe V. 182–184).

Stolzings Vision läuft, freilich ungleich verzückter und verstiegener, gleichfalls auf den *poeta laureatus* hinaus:

Huldreichstes Bild,
dem ich zu nahen mich erkühnt:
dem Kranz, vor zweier Sonnen Strahl
zugleich geblichen und ergrünt,
minnig und mild,
sie flocht ihn um das Haupt dem Gemahl.

(3, IV)

Die Muse also ist es, die zur Liebe führt, und die Geburt der Kunst aus dem Geist der erotischen Liebe demonstriert. In Wagners Doppelbild: Die Muse, Parnaß *und* Paradies zugleich eröffnend (3, V).

Die Rolle der Muse, die Goethes Sachs im Lieben belebt, hat Wagner gewissermaßen vernüchtert, ‚personalisiert': Neben anderen Funktionen hat sein Sachs sie zu übernehmen. Er ist es, der den Repräsentanten der jungen unerhörten Kunst bändigt, reguliert, schützt, rettet und ihm die Chance der Inspiration durch Liebe erst eigentlich einräumt. So ist es denn konsequent, wenn im Monumentalgemälde des Finales die Goethesche Geste den Abschluß setzt. Stolzings Vision hat sich realisiert, aber: „Während des Schlußgesangs nimmt Eva den Kranz von Walthers Stirn und drückt ihn Sachs auf" (Szenenanweisung). So eindrucksvoll-würdig aber, so humorig-gelassen, so souverän und nonkonformistisch auch immer Wagners Sachs sich geben mag – er hat doch mit dem historischen Sachs die unbeirrbare Überzeugung von Nutz und Frommen patriarchalisch-hierarchischer Grundstrukturen der Gesellschaft gemein. Der historische Sachs kann, will man ihn formelhaft treffen, geradezu als Herold – um es in seiner poetischen Figurensprache zu sagen – solcher Bürger-Botschaft bezeichnet werden. Und Wagners Sachs ist, nicht anders als seine Umwelt, durchdrungen von der Selbstverständlichkeit der Autorität und vom selbstverständlichen Recht ihrer auch handgreiflichen Ausübung (wovon insbesondere das Verhältnis zu seinem Lehrbuben David zeugt, das eher von der rauhen Schale als dem zarten Kern kündet). Die Menschen können nur gedeihen, wenn sie sich dem Regelwerk der Geltungen und Privilegien unterwerfen, die Kunst allein steht noch darüber; und – gelegentlich – ihr einsamer Repräsentant. Auch er aber beuge sich dem Herkommen und seiner Dignität: „Verachtet mir die Meister nicht." Erst wer die Autorität und die Regel zu respektieren gelernt hat, darf sie zu überwinden Anstalt machen.

Das liebe Nürenberg – es ist als deutsche Stadt auch ein Ort der Autorität und ihrer Konservierung. Das liebe Nürenberg, wie wird es sich mit Stolzing arrangieren, auf die Dauer? Wie wird Stolzing sich mit ihm arrangieren? Wieder ein deutsches Problem.

Das Leben als Oper oder „Gefühls-Rausch" und „Gefühls-Verständigung"

Zur Kunstauffassung Wagners und Ludwigs II.

„Das deutsche Publikum aber sollte eingeladen werden, zu den festgesetzten Tagen der Aufführungen (. . .) sich einzufinden, indem diese Aufführungen (. . .) nicht einem partiellen städtischen Publikum, sondern allen Freunden der Kunst, nah und fern, geboten sein sollten" (Wagner, Vorwort zur Dichtung des „Rings des Nibelungen", 1862).

„Ich habe ein brennendes Verlangen, wie das Gefühl sehrenden Durstes, noch einmal das herrliche Drama mit zu durchleben, noch einmal in diese heiligen, erschütternden Klänge mich in Begeisterungsinbrunst zu tauchen! Ich bitte Sie, mich durch eine förmliche Wand von den allenfalls kommenden Fürsten oder Prinzen in der Loge abzusperren und, sei es durch Gendarme, zu verhindern, daß jene auch in den Zwischenpausen mir nahen" (Ludwig II., im August 1876 nach der Generalprobe des „Rings" an Wagner).

I.

„Den Künstler, um welchen jetzt die ganze Welt trauert, habe ich zuerst erkannt und der Welt gerettet": so König Ludwig II. nach Richard Wagners Tod. Eine Feststellung von sachlicher Entschiedenheit, die sehr wohl auf dem nüchternen Fundament pragmatischer Einsicht ruht. Hier sah der sonst so oft ekstatisch verhangene Blick des majestätischen Schwärmers klar. Schon sechzehn Jahre zuvor – 1867 – hat Ludwig in einem Briefe an Cosima festgestellt: „Denn kühn darf ich behaupten, daß meine unerschütterliche Liebe und Treue zu ihm, meine Begeisterung für sein Wirken ihn, wie er selbst zugibt, gerettet haben".

Das also war dem König schon drei Jahre nach seiner Thronbesteigung bewußt, deren erste folgenreiche Handlung die Berufung des einundfünfzigjährigen Meisters durch den achtzehnjährigen Bayernherrscher war.

Freilich nimmt sich Ludwigs Reaktion auf Wagners Tod, so erschüttert er gewiß gewesen ist (die Geschichte von der im aufwallenden Schmerz zertretenen Parkettplatte mag nun authentisch sein oder nicht), doch moderiert aus, vergleicht man sie mit den rhapsodischen Zeugnissen einer brünstig-rauschhaften wechselseitigen Hingabe, wie sie der (rund sechshundert Nummern umfassende) Briefwechsel mit Wagner über weite Strecken darstellt. Wenn aber darin vom dereinstigen Tod des geliebten Meisters die Rede ist, dann begreift Ludwig allemal sterbensverzückt des „Angebeteten" Ende auch als seines eigenen Lebens letzte Stunde. Solche pathetische Terminierung des Abschlusses ist ihm derart selbstverständlich, daß sie auch ihre nahezu vertragsartige Rolle spielt in der fatalen Episode der königlichen Verlobung. Da läßt er die junge Herzogin Sophie wissen (die er, selber „Heinrich", seine „Elsa" nennt), daß sie ihm „die teuerste" sei von „allen Frauen, welche leben"; um dann zu schließen: „der Gott meines Lebens aber ist, wie Du weißt, R. Wagner". Und einem Vertrauten teilt er mit, daß, sollte es „zur Heirat kommen", er – Ludwig – seiner Königin werde „jedenfalls die Bedingung stellen müssen, daß die ihr geschworene Treue durch den Tod meines Teuersten! meines Alles! aufgehoben wird". Die Liebesbriefe aber, die der Bräutigam seiner Braut schuldig bleibt, erhält Wagner von ihm. Das klingt dann zum Beispiel so (als er reagiert auf des Meisters Meldung von einem baldigen Besuch in München):

„Einzig geliebter Freund! mein Erlöser! mein Gott!

Ich juble vor himmlischem Entzücken, ich rase vor Wonne; als ich heute meiner Sophie Ihren göttlichen Brief mitteilte, der mir Ihr Kommen meldet, erglühten ihre Wangen in Purpurröte, so innig fühlt sie meine Freude mit. – O nun bin ich glücklich, nicht mehr verlassen in trostloser Öde, da ich den Einzigen in meiner Nähe weiß; o bleiben Sie nun da, Angebeteter, für den einzig ich lebe, mit dem ich sterbe. O Tag des Heiles! Wonnezeit. In ewiger Liebe, in unerschütterlicher Treue Ihr Eigen Ludwig“

Die Liebe währte nicht ewig, die Treue war erschütterbar, wenn auch die Gefühle unvergleichlich viel tiefer und leidenschaftlicher glühten als die zu der unglücklichen Sophie, die der Bräutigam schon vor der eigentlichen Verlobung schlicht erinnert hatte: „Der Hauptinhalt Unseres Verkehrs war stets, Du wirst es mir bezeugen, R. Wagners merkwürdiges, ergreifendes Geschick.“ Wagner war auch hier, in einer für den König letztlich marginalen Angelegenheit, Katalysator seiner Gefühle gewesen. So wie er als Katalysator gewirkt hat für die Phantasien der überreizten Wahnwelt dieses jungen Menschen, den sein – und seines Landes – Unglück in ein Amt gewiesen hatte, dem er weder durch Anlage und Leistung noch durch Gemüt und Interesse gerecht zu werden vermochte, – sondern lediglich durch eine ungeheuerliche Übersteigerung seines Ich in Dimensionen, die schließlich allen Bezug zur faktischen Wirklichkeit verloren: Ein „merkwürdiges, ergreifendes Geschick“ in der Tat.

II.

„Horaz neben Augustus“, solch „rasch geflügeltes Wort“ hörte aus dem jubelnden Publikum der Rezensent der „Neuen Zeitschrift für Musik“, als er von dem triumphalen Erfolg der „Meistersinger“-Uraufführung im Großen Münchner Hoftheater am 21. Juni 1868 berichtet. Wagner hatte, eine sensationelle Ehrung, der Aufführung in der Königlichen Loge zur Seite des Herrschers beigewohnt und dem frenetischen Beifall des Publikums von deren Brüstung aus gedankt. Horaz neben Augustus, das klingt plausibel und ist das Schema eines vertrauten und tradierten Topos: Der Caesar und der Philosoph, der Dichter und der König, der Künstler und der Herrscher, sie beide in mystischer Ebenbürtigkeit „wandern auf der Menschheit Höh'n“, sie sollen zum Besten eben jener Menschheit miteinander wirken, ineinander aufgehen, so will es die idealistische Topologie von Utopia, will es der ahistorische Optimismus der Aufklärung, will es die Sentimentalität romantischer Geschichts-Verklärung.

Horaz wie Voltaire war die Hofluft nicht durchwegs bekömmlich, und auch Wagner mußte (und wie bald) die Hauptstadt seines Königs räumen. Indessen ist die Parallele irreführend. Denn so unbestreitbar die durchaus lebens- und werkrettende Förderung Wagners durch Ludwig ist, so bleibt doch ebenso unbestreitbar, daß sie einander nichts zu sagen hatten, – soviel sie auch miteinander reden mochten. Denn sie haben sich schwerlich verstanden. Genauer: Ludwig hat Wagner nicht verstanden. Wohingegen Wagner in ihm den Mäzen jenes gewaltigen Ausmaßes erkannte, den er sich für sein Werk ersehnt hatte (in jener berühmten Schlußpassage des „Ring“-Dichtung-Vorwortes [1862]), den er als seinem Werk angemessen empfand, den er zugunsten seines Werkes verwendete, verbrauchte. Das ist natürlich Ausbeutung, und man kann das von allen Skrupeln freie Kalkül anprangern, das Wagners (und Cosimas) Verhalten leitete. Jedoch war solches Verfahren nicht nur Teil von Wagners Genie und Geniebegriff, sondern – reziprok – auch Teil von Ludwigs Sendungsbewußtsein: „Zu Großem hat Uns das Schicksal berufen: daß Wir Zeugnis geben von der Wahrheit, sind Wir auf die Welt gekommen (. . .). Heil der deutschen Kunst! in diesem Zeichen werden Wir siegen“ (an „Sachs“-Wagner nach der Uraufführung der „Meistersinger“). In dem Maße, als der

König Wagners Leben seit jenem 4. Mai 1864 die entscheidende Wende gab und nunmehr allen Brüchen, Krisen, Enttäuschungen und Täuschungen zum Trotz sich beharrlich entschlossen zeigte, als Instrument zu dienen für die Vollendung des großen Werks, ist es von Wagner her zu verstehen, daß er auf solche ihm schicksalhaft zukommende Hilfe nicht nur nicht verzichtete sondern sie provozierte und forcierte, schließlich verlangte. Denn darin waren sie sich allerdings gleich: in ihrer Fähigkeit, ja ihrem Bedürfnis, die Proportionen der eigenen Person ins Maßlose zu steigern, ins Gigantische zu projizieren und jeweils sich ein Sendungspotential zuzusprechen, dessen Majestät sich ins Übermenschliche verlor. Der kurzbeinige Mann aus dem Sächsischen (ob nun 1,53 m oder 1,63 m groß) und der Wittelsbacher Hüne (1,91 m groß), sie beide bedurften der Multiplikation und pompösen Potenzierung ihrer selbst. Nur daß Wagners menschliches Übermensch-Bewußtsein sich auf ein grandios konzipiertes Werk berief und gründete, während das Ludwigs sich nährte aus einer mystisch-übersteigerten Vorstellung von der sakralen Majestät des königlichen Gottesgnadentums. Was war es, das ihn an Wagners Kunst derart faszinierte, daß er sich ihm in seinen Brief-Konfessionen mit der stammelnden Ekstase eines beredten Analphabeten naht? „Einziger! Heiliger!" – „Ach für Dich zu sterben!" – „Ein und All!" – „Inbegriff meiner Seligkeit!" – „Wunder der Welt!", – und so geht es fort, Orgie liebenden Andrängens in rasenden Exklamationen, sich allen Maßstäben auch romantisch überreizter, sentimental getränkter Freundschaftsbriefmuster entziehend. Eine in leidenschaftlich flakkernder Schwarmsucht irrlichternde Natur hatte – für eine Zeitlang – ihre Bezugsfigur gefunden. Einer, dem der Vater zeitlebens fremd, die Mutter ungeliebt war. Was aber verstand dieser schon früh gezeichnete Mensch von Kunst? Was von Musik? Und was von Literatur?

III.

Die Fragen zu beantworten, helfen die berühmt-berüchtigten „Separatvorstellungen".

Gottfried von Böhm in seiner immer noch grundlegenden Biographie, die von allen späteren Ludwig-Biographien unbefangen ausgeschrieben worden ist („Ludwig II. König von Bayern. Sein Leben und seine Zeit", zweite Auflage 1924), hat auch diesen Part im Leben des königlichen Dilettanten registriert. Gemäß seiner Zählung hat es insgesamt 208 Separatvorstellungen gegeben, und zwar (so der Intendant Freiherr von Perfall) setzten sie ein mit dem 6. Mai 1872; und endeten mit dem 12. Mai 1885 (und das, natürlich, aus Geldmangel). Den quantitativen Höhepunkt brachte das Jahr 1883 mit fünfundzwanzig Stücken. Hätte es sich bei diesen separaten Aktionen nun um nichts anderes als die königliche Marotte gehandelt, sich das, was ohnehin auf dem Repertoire stand, als Erster und in erhabener Einsamkeit anzusehen, so wäre damit über den künstlerischen Geschmack Ludwigs zwar einiges, nicht aber viel gesagt. Indessen war dieses Institut jedoch Ausdruck der königlichen Menschenscheu, des Menschenhasses, ja der Menschenverachtung. Was der Majestät gebührte, gebührte nur ihr und durfte nicht profaniert werden durch Anwesenheit oder Partizipation der Menge, durch die widrige „Plebserei" (wie der Monarch sich gerne ausdrückte). Das aber hieß praktisch: auf allerhöchsten Befehl wurden bestimmte Stoffe ausgewählt, dramatisch zubereitet, als Manuskript für den König gedruckt, schließlich exklusiv für ihn inszeniert und gespielt. Die (übrigens mäßig honorierten) Verfasser mußten sich überdies verpflichten, ihre Dramen „nicht auswärts zur Aufführung gelangen zu lassen". Ersuchten die Dichter um Ausnahmen von dieser Bestimmung, so fanden ihre Gesuche „eine sehr ungnädige Aufnahme" (Böhm). (Allerdings sind in die oben erwähnte Zahl von 208 auch einige Vorstellungen eingegangen, die in das Repertoire übernommen wurden.) Nun wäre die Vermutung nicht unerlaubt, der seinen Lebensstern Richard Wagner vergottende König (der sein Mandat nicht zuletzt in dem Auftrag begriff, Wagners Werk zur Realisierung zu verhelfen) habe sich, von früh auf mit Wagners Kunstwerken und -theorien vertraut, dessen strenges ja unerbittliches Qualitätsgefühl als Maßstab für die Kunst und ihre Praktizierung gewählt (wennschon nicht seine Kunstphilosophie). Wieder zeigt sich, daß die wesentliche Konstante in Ludwigs Wesen seine Unberechenbarkeit ist, und das gilt auch für seine ästhetischen Anschauungen. Was der königliche Wille auf die Bühne brachte, war ganz offenbar nichts als eine Akkumulation von historischen Rühr- und Schauerdramen. Ihre Verfasser: Ludwig Schneegans, Hermann von Schmid, Karl von Heigel, Albert Emil Brachvogel. (Schmid war des weiteren auch der Verfasser einiger Prosa, und Ludwig „las gerne seine Münchener Geschichten und Bauernromane". Übrigens reüssierte Schmid insofern, als der König ihn in Anerkennung seines ersten Trauerspiels zum Aktuar bei der Polizeidirektion ernannte, s. Böhm S. 739.)

Die poetischen Hoflieferanten hatten Ordre zu parieren, das heißt sich den künstlerischen Richtlinien des souveränen Dilettanten zu fügen. Offenbar ging es dem Schiller-Schwärmer Ludwig nicht um dramatische Substanz und ihre Auflösung, nicht um Demonstration historischer Situationen als Niederschlag menschlicher Konflikte, nicht um die Auswirkung menschlicher Maße auf die Historie, sondern um eine Art von höfisch-feudalem Mummenschanz, um die Einrichtung von erhabenen Scharaden, wie er sie selber ja auch zu inszenieren liebte: Man denke an seinen treuen Flügeladjutanten, den Fürsten Paul von Thurn und Taxis in der Rolle des Lohengrin:

„Ein großer, kunstreich nach der Natur gebildeter Schwan zog einen Kahn mit Lohengrin über den Alpsee; (. . .) mittelst eines elektrischen Lichtes prachtvoll beleuchtet. Während dieses Vorganges spielte die Musik die betreffenden Pièeen aus ‚Lohengrin'. Am nächstfolgenden Abend wurde diese Szene auf allerhöchsten Befehl Seiner Majestät des Königs wiederholt."

Ja Ludwig selbst hat sich in das Lohengrin-Kostüm verpuppt – es fand sich in seinem Nachlaß. Wohl mit keiner anderen Phantasie-Figur hat sich der Vielverkleidete so schwärmerisch identifiziert wie mit dem Schwanenritter: Hier vereinten sich Sendungs-Mystik, Reinheits-Ideologie, Frauenfeindlichkeit und Tiersymbolik zu dem grandiosen Postkarten-Panorama stilisierter Helden-Einsamkeit. Die Schloßchronik von Hohenschwangau nennt übrigens rühmend den Namen des „Herrn Theatermaschinisten Penkmayr", – was wiederum gerühmt zu werden verdient, denn Ludwig fühlte sich dem weniger königlichen als vielmehr epikuräischen Prinzip verpflichtet: „Ich will nicht wissen, wie es gemacht wird, ich will nur die Wirkung sehen." So berichtet es Luise v. Kobell, die Ehefrau von Ludwigs tüchtigem (aber natürlich wie alle anderen Diener irgendwann in Ungnade fallenden) Kabinetts-Sekretär August von Eisenhart anläßlich der hilflos-staunenden Beschreibung von Ludwigs Grottenspielen zu Schloß Linderhof: In Tannhäusers Venusberg war Capris blaues Wunder eingebaut, und auf künstlich erregtem Wasser ließ Ludwig sich in einem gold-silbernen Muschelkahn herumrudern. Dabei wechselte im Zehn-Minuten-Rhythmus die farbige Beleuchtung, deren langwierige Installation vom König mit eben jenem Maße an gespannter Aufmerksamkeit kontrolliert und kritisiert wurde, die er der Beurteilung der Staatsgeschäfte beharrlich schuldig blieb. Die kluge Frau v. Kobell fügt diesem Bericht mit einem für eine Dame ihres Standes erstaunlichen Maße an sozialer clairvoyance hinzu:

„Wer aber hinter die Kulissen blickte, fand eine melancholische Prosa, einen abgehetzten Elektrotechniker, sieben von Arbeitern ständig geheizte Öfen, welche die Temperatur von 16 Grad Réaumur hervorbringen und unterhalten mußten, und dazu die riesigen, von der blauen Grotte allmählich verschlungenen Summen."

Was nun die dramatischen Auftragswerke der anderen, der Hof-Bühne anbetrifft, so war in ihnen insbesondere der Majestät der ihr gebührende Tribut zu zollen, die Rolle des Königs

„mußte immer glänzend behandelt werden und er durfte nicht auf der Szene sterben" (Böhm). Vorzüglich galt Ludwigs Interesse der Welt der Bourbonen, vor allem natürlich Ludwig XIV., gemäß dessen monströser Selbststilisierung und Ichvergottung auch der Bayrische Ludwig sich als Sonnenherrscher und Staatsinkarnation drapierte. Einige sonstige Titel: Karl v. Heigel machte aus Gutzkows Roman „Hohenschwangau" ein Drama für den König; ein anderes hieß „Das Testament Karls II.". Von Hermann (von) Schmid ist zu berichten, daß seine Stücke betitelt waren: „Unter den Lilien"; „Der Todesengel"; „Dur oder Moll"; „Aus dem Stegreif". Ludwig Schneegans (er war Dramaturg der Königlichen Hofbühne) hat zwei Talent-Proben geliefert, „Der Weg zum Frieden", und „Gräfin Egmont". Übrigens kamen dazu auch Opern und Ballett-Aufführungen sowie Übersetzungen französischer Werke, – und immer wieder scheint sich das künstlerische Interesse Ludwigs wesentlich darauf konzentriert und darin begrenzt zu haben, die wichtigen naturalistischen Details (etwa die Räumlichkeiten von Schloß Versailles) nachzuprüfen und ‚Fehler' (etwa falsch placierte Türen) zu bemängeln.

IV.

Es ist offensichtlich, was es mit dem Kunstverstand des Königs auf sich hat: Er hatte keinen. Die reichen Gemäldesammlungen seines Lands interessierten ihn nicht. Daß er unmusikalisch war, ist einigermaßen verläßlich bezeugt, sein Klavierlehrer segnete den Tag, da sein erlauchter Schüler seine Exerzitien aufgab, und auch Wagner hegte hier keine Illusionen sondern schrieb Ludwigs „poetischem Gemüt" insgesamt zu, was sich als musikalisches Interesse zu offenbaren schien. Denn daß Ludwig in einem sehr allgemeinen Sinne ein ‚musischer Mensch' war, ist unzweifelhaft und Teil jener Aura der Empfindsamkeit, mit der er sich romantisch und pathetisch umgürtete. Gewiß war sein jeder Erregung offenes Gemüt in hohem Maße affizierbar durch künstlerische Eindrücke, vor allem durch Töne, durch Verse, den Prunk der Plastik, den Gestus der Architektur. Eben dieses Gemüt hat ja auch immer wieder sich anbetend in die Natur verloren, ohne indes je mit ihr wirklich „umgegangen“ zu sein: Er erlebte sie in nächtlichen Wagen- und Schlittenfahrten und tagelangen fluchtgleichen Ritten, die ihn, der sich oft nur durch einen Reitknecht begleiten ließ, von der Welt der Menschen trennte. Natur als Kulisse, – denn Lektüre, schreibt er Wagner 1873, sei sein „höchster Genuß“, den „ich fast zu häufig mir gönne, da ich ihn selbst im Wagen beim Durchfahren der herrlichsten Gebirgstäler nicht entbehren kann“.

So ist der Bruch mit Josef Kainz (einmal abgesehen davon, daß die homoerotisch bedingten Beziehungen des Königs gesetzmäßig flüchtig und fragil waren) gleichfalls auf eine solche ‚Nutzung‘ von Natur zurückzuführen. Anläßlich der gemeinsamen Schweiz-Reise 1881 nötigte Ludwig den verwirrten Freund, eine mühsame Wanderung über den Surennen-Paß zu unternehmen, – damit er, dem Kunstverstand des Königs gemäß, nach solchem Lokaltermin den Melchthal-Monolog umso authentischer bringen könne: „Durch der Surennen furchtbares Gebirg‘ . . .“. Es war denn auch furchtbar, der nach zwei Tagen total erschöpfte Wanderer begegnete dem ihn begrüßenden Herrscher etwas außerhalb der Etikette und schlief überdies in der nun folgenden Nacht, verständlich genug, auf dem Dampfer ein: wiederum ein Affront, – der dann, wenige Nächte später, in die Gehorsamsverweigerung einmündete: Kainz fügte sich nicht dem königlichen Befehl, nächtens auf dem Rütli – wieder einmal – den Melchthal zu machen. Das war das Ende der Beziehung, und auch hier war der Weg kurz, den Künstler und König auf der Menschheit Höh’n gemeinsam wandeln durften.

Ähnlich ‚mediatisiert‘, gebrochen wie sein Natur-Verhältnis scheint auch Ludwigs Beziehung zur Bühne gewesen zu sein. Es ist das Spezifikum von Ludwigs geistiger Erkrankung, daß er die faktische Welt, die in ihr lebenden und tätigen ihm anvertrauten Menschen floh, daß er ihre Aufgaben und Probleme fürchtete und (also) verachtete, und daß er sich, je länger je mehr und von der fortschreitenden Schizophrenie geblendet, seine eigene Welt konstruierte. Hier war die singuläre Chance gegeben, daß ein Geisteskranker seine Wahnvorstellungen nicht nur als Vision erlebte, sondern daß er sich vermessen konnte, diese Vision in Wirklichkeit umzusetzen. So entstand die Surrogat-Welt der Schlösser des Mittelalters und des Ancien Régime, der Jagd- und Waldhütten, der Historien-Schauspiele, der zeremoniösen Auftritte und Mummenschanz-Inszenierungen, der privaten Künstler-Szenen in den königlichen Gemächern. Derweil regierte sein Ministerium das wackere Bayernvolk, dessen monarchischer Treusinn und dessen loyale Langmut nicht hoch genug zu bestaunen sind; derweil zog sein Heer ohne ihn zwei Mal in den Krieg; derweil wurde sein souveränes Königtum relativiert zu einem Teil des Deutschen Kaiserreichs. Ludwig aber baute sich seine Zauberwelt und machte, daß aus der Nacht Tag wurde und aus dem Tag die Nacht, verstellte sich vor jedermann, verteilte rasche Huld und langwährende Ungnade, aß große Mengen von Naschwerk und ruinierte seine Zähne (ein Defekt, den vorzuzeigen er sich genierte und den von Grund auf reparieren zu lassen er sich fürchtete); und ein immer unförmiger anschwellender Körper zwang sich zu den unnatürlichsten Bewegungen und Attitüden (etwa in der skurrilen Gestik des von ihm so genannten „Königsganges"), spielte bizarr die Pose der Majestät. Die Herrlichkeit des Herrschers war degeneriert zur Selbstherrlichkeit des Unbeherrschten.

Auch Wagner also war Partner in diesem gespenstischen Spiel, – wenn auch gewiß Partner anderer Art als die Lakaien und Minister, die Flügeladjutanten und Kabinettssekretäre. Hier ist ein historisches Mißverständnis von den bedeutendsten historischen Folgen gewesen. Ein von den Gaukelspielen seiner verirrten Einbildungskraft faszinierter Herrscher hat diese seine überreizten Energien auch in Wagner und dessen Werk sich verlieren lassen, – und damit wenn nicht sich, so doch der Mitwelt und der Nachwelt ein gewaltiges Vermächtnis übertragen. Wie vermochte Wagner den König derart zu bannen?

V.

König Ludwig war homosexuell. Da seine Zeit und seine Kirche in dieser Eigentümlichkeit die schmählichste Verirrung pönalisierten, mußte sich solche Neigung als Gefühl menschlicher Insuffizienz in Ludwig verfestigen. Diese Insuffizienz zu bekämpfen, war ihm, wie er etwa gesagt hätte, „heiligste Pflicht".

Der künftige König, dann der König entwickelte zum privaten Moralgebrauch ein Reinheitsideal, das zu errichten und das dann zu bewahren gewiß die qualvollsten Mühen der Selbstkasteiung kostete. Tagebuch-Eintragungen Ludwigs zeugen auf erschütternde Weise von ständigen Kämpfen gegen die Versuchung durch die Mächte des Triebs. Es war also nicht Rücksicht auf das herrscherliche Amt, sondern es war die artifizielle Vorstellung von der Herrlichkeit des Herrschertums, die Ludwig zum lebenslänglichen Büßer, zum beharrlichen Bekämpfer der in ihm mächtigen Sehnsüchte und Süchte machten. Solches immerwährende Ringen gegen die Verführung „unreiner Liebe" aber war wiederum nur zu bestehen durch eine maßlose Überkompensation des Herrscher-Sendungsgedankens. Unantastbarkeit der Majestät, das hieß zuerst und vor allem: ihm, Ludwig, war es nicht erlaubt, sie zu beflecken. Verlust der solchermaßen verstandenen Reinheit hätte Verlust der Kron-Würde bedeutet. So transponierte dieser durch sinnlose Erziehungsmaßnahmen gemarterte, durch früh sich anmeldende geistige Verdunkelung und durch ‚widernatürliche' Veranlagung deformierte Mensch seine Existenz in eine Welt, in der sie durchaus unfehlbar war und ungefährdet. Er wappnete sich durch ein mittelalterlich anmutendes Gnadentum und Sünd-Bewußtsein; er schützte sich durch Maske und Verkleidung, vor die er wiederum Maske und Verkleidung band, das Spiel des Spiels spielend und niemandem vertrauend. So suchte er sich den Ausweg in die nur ihm zugehörigen Bereiche: in die Berge, die Nacht, in die „reine Seele des einfachen Volkes", in die Poesie (oder was er dafür hielt), in das Kostüm und die Inszenierung, in die Bettlägerigkeit des Krankseins; und sein Schlafzimmer in Hohenschwangau durchtönte das Rauschen eines Wasserfalls, das Bett beschien ein künstlicher Mond (von dem es in einem Monitum des Stallmeisters Hornig an den Hofsekretär Bürkel im Juli 1878 heißt: „Der Mond im hiesigen Schlafzimmer Seiner Majestät leuchtet nach Allerhöchstderen Aussage nicht mehr so schön wie früher. Euer Hochwohlgeboren möchten ihn reparieren lassen"): Corriger la nature!

Das Ancien Régime mit seiner absolutistischen Herrscher-Ideologie mußte Ludwigs historischer Fluchtpunkt werden: da war er niemandem Rechenschaft schuldig, – er, der schließlich von bürgerlichen Untertanen, von Handwerkern und Hofpoeten verklagt wurde als säumiger Schuldner, der seine Rechnungen nicht mehr begleichen konnte und nicht begreifen mochte, daß seine wahngezeugten Befehle zu Menschen-Entführung und Bankraub ihm auch nichts einbrachten.

Was aber hat dies alles zu schaffen mit Wagner, mit dessen „Zukunftsmusik", mit dessen Versuch zur Neubegründung des Mythos, mit dessen „unendlicher Melodie", mit dessen Verzweiflung an Herrschern und Beherrschten, mit dessen Durchleuchtung von Strukturen der Geschichte und ihrer Macht-Formationen? Nichts. Wohl aber bestrickten den mannigfach Gefährdeten und mannigfach Kranken der sentimentalische Glanz der Geister- und Ritterwelt, die schneeweiße Lohengrin-Reinheit, die Dämonie des Venusberges, der Fluch der Holländer-Fabel, Siegfrieds Heldenschwert. Der mythische Auserwähltheitsglaube der Majestät sah sich präfiguriert in Wagners Göttern und Helden. Deshalb eignete sie sich deren Namen an und nannte sich Heinrich und Siegfried, Stolzing und – vor allem – Parsifal, sich damit Wurzeln schaffend in mittelalterlichem Feudal-, in archaischem Mythen-Denken. Das mag auch Wagner meinen, wenn er im März 1866 Konstantin Frantz den König und ihrer beider Verhältnis charakterisiert:

„Es gibt einen einzigen Weg, zur Erregung seiner sympathischen Seelenkräfte zu gelangen, und dies bin ich, meine Werke, meine Kunst, in denen er die eigentliche wirkliche Welt ersieht, während alles übrige ihm wesenloser Unsinn dünkt. Die Berührung mit diesem Einen Element erweckt in ihm die überraschendsten, wahrhaft wunderbaren Fähigkeiten; er sieht und fühlt darin mit bestaunenswerter Sicherheit und offenbart für die Erreichung meiner ferntragendsten Kunstzwecke einen Willen, welcher für jetzt die ganze Wesenheit des Menschen ausmacht ...".

Ihn bestrickten die vorgestellten Räumlichkeiten und ihre Magie: die Hundinghütte bei Schloß Linderhof (1876 gebaut), die für die Inszenierung dumpf-germanischer Meth-Gelage herhalten mußte; die Gurnemanzsche „Einsiedelei" in der gleichen Gegend (1881); der Maurische Kiosk, das Marokkanische Haus mit dem Echtheitsschein von Mokka und Wasserpfeifen (1881); der Peking-Sommer-Palast, zu dessen Ausführung es nicht mehr kam und der die letzte Monumentalisierung höfischen Zeremonie-Wahns geworden wäre (Entwurf von 1886). Und immer wieder bezauberte den Geschlagenen der *Erlösungs*-Gedanke: Siegfried, der Brünnhilde befreit (als hätte Ludwig nicht gewußt, wie es weiterging). Vor allem aber Parsifal und Gralsburg als die Prototypen der Erlösungs-Gestalt und der Erlösungs-Stätte. Wer dank den Determinanten seiner Veranlagung untauglich ist, in den Formationen dieser faktischen Welt seine zugefallene und fixierte Rolle zu spielen, der wird, da er sich nicht ändern kann, versuchen, sich eigene Formationen zuzurichten. Ein König hat – oder hatte – zu diesem Zwecke viele Möglichkeiten, *und so lebte denn Ludwig die Welt als Oper.* Das heißt als jene Kunstform, die sich von der faktisch-empirischen Realität durch ebenso pompöse wie absurde Eigentümlichkeiten extrem distanziert, – Realität auf solche Weise definitiv (das heißt bis zum Fallen des Vorhangs) leugnend. Eben aber diese Opern-Routine der Kunst als Form und der Form als Kunst zu überwinden, war Wagners höchstes und einziges Ziel.

VI.

Die arglose Ahnungslosigkeit, mit der Ludwig dem Werk Wagners begegnete, bezeugt sich auch in seinem völligen Unverständnis für des Meisters (nur allzu verständlichen) Perfektionsdrang, der ja nichts zu tun hatte mit herkömmlicher Artistik, sondern Authentizität wollte. 1850 hatte er anläßlich der Uraufführung des „Lohengrin" am Hoftheater zu Weimar geschrieben:

„Gar nichts liegt mir daran, ob man meine Sachen giebt; mir liegt einzig daran, daß man sie so giebt, wie ich's mir gedacht habe; wer das nicht will und kann, der soll's bleiben lassen."

Es war also mehr als ein Affront, war Aufkündigung des Einverstehens, wenn Ludwig, die Produkte plan als sein juristisches Eigentum reklamierend, par ordre du Moufti sowohl das „Rheingold" (1869) wie die „Walküre" (1870) zur Uraufführung kommandierte entgegen den leidenschaftlichen Beschwörungen ihres Autors. Und wie groß immer die Dankespflicht Wagners dem König gegenüber eingeschätzt werden mag (sie kann kaum überschätzt werden), so ist doch nur allzu begreiflich, daß Wagner solche Akte absolutistischer Willkür mit Empörung und Strenge quittierte und die empfindlichste Krise in der krisenreichen Beziehung dieser beiden exzentrischen Über- und Unnaturen ausbrach, gipfelnd in Wagners berühmter brieflicher Frage, „mit deren Beantwortung Uns alle Zukunft vorgezeichnet wird: Wollen Sie mein Werk, wie ich es will – oder: wollen Sie es nicht?" Der König wollte, aber lieber wollte er dieses Werk, wie er es jetzt haben konnte, als ihm jenes Maß an zuwartender Geduld zu schenken, das sein Schöpfer in (wenn auch verzweiflungsvoll wütender) Gelassenheit ihm zumaß. Übrigens signalisiert auch die fatale Episode vom 12. November 1880, selbst wenn ihre Authentizität angezweifelt wird, die Verfassung des königlichen Kunstsinnes und ihren Kontrast zu dem des Meisters. Wagner bot Ludwig als lang ersehnte erste Probe des „Parsifal“ dessen Vorspiel. Der König, seltsam genug, verspätete sich. Hörte dann ergriffen zu – und verlangte, wie in der Nummern-Oper, ein da capo. Wagner war willfährig. Dann aber gab er den Dirigentenstab empört an Levi weiter: als es nämlich den König, zum Vergleich, auch noch nach dem „Lohengrin“-Vorspiel verlangte. Eklatante Verkennung also dessen, was hier zum ersten Mal geboten wurde. Wo Wagner die seit so vielen Jahren angelegte letzte Sublimierung seiner Kunst als Handwerk, Technik, Genie und Botschaft angekündigt und angeklungen wußte, da wollte Ludwig den rauschhaften Genuß, wollte die Droge – und wie jeden Süchtigen verlangte es ihn nach mehr.

VII.

König Ludwig verfügte nicht über, aber er hatte seine eigenen Dimensionen – und in ihnen war nicht Platz für die jeweiligen Voraussetzungen und Elemente der Wagnerschen Kunst. Er wollte Erlösung, und er ahnte auf seine ungebärdige Weise, daß Wagners gewaltig-gewaltsame Mythenvergegenwärtigung es mit Erlösung zu tun hatte. Insofern hat Wagner recht, wenn er vermutet, der König gehöre zu den Wenigen, die „ihn verstünden“, und mag er auch – gleich Klügeren – die Traktate der herrischen Theorie kaum verstanden haben: „Die Kunst und die Revolution“ (1849); „Das Kunstwerk der Zukunft“ (1850); vor allem „Oper und Drama“ (erschienen 1853). Der König ‚verstand‘ auf seine Weise, – wenn er auch nicht ahnte, daß Revolution mehr bewirken konnte oder wollte als den Thronverzicht seines Großvaters; wenn er auch nichts begriff – oder begreifen wollte – von Bakunin und dem Zusammenhang zwischen Musik und Anarchie; nichts wußte von Feuerbach und Schopenhauer noch den Wesendonck-Liedern. Monoman war er fixiert auf seine höchst königliche Bewährung in der Förderung, Rettung und endlichen Verwirklichung des Wagnerschen Werkes, – er brauchte nicht zu ‚verstehen', womit er sich eins glaubte. Wagner, im ersten Enthusiasmus der rettenden Begegnung, exklamiert gegenüber Mathilde Maier: „Er ist göttlich! Bin ich ein Wotan, so ist er mein Siegfried"! Eine fatale Metaphorik, und als hätte der bedrohte Ludwig ihre Drohung erkannt, schreibt er Wagner unter dem 8. November 1864: „O, mein Geliebter, mein Wuotan soll nicht sterben müssen, um in ‚Siegfried' fortzuleben; Er soll leben, um sich noch lange an Seinem Helden zu erfreuen!"

Eines Lebens Summe in der Entsprechung eines Wortes wiederzugeben, ist heikel und anfechtbar. Doch mag man wagen, sie in Ludwigs Bekenntnis an Wagner im Augenblick der schwersten Krise (der erzwungenen „Walküren"-Uraufführung, Januar 1870) zu begreifen: „Meine Krone trage ich um Ihretwillen." Ein königliches Wort, weil es vom Dienen spricht.

Nachschrift 1977

Inzwischen sind die beiden Bände von Cosimas Tagebüchern 1869–1883 erschienen und haben in ihrer Detailfülle manchen vermuteten Zug in Wagner bestätigt, manchen nichtvermuteten offenbart. In nahezu erschütternder Deutlichkeit aber geben sie preis, was der vorstehende Artikel kombinatorisch darzulegen versucht: die tödliche Fremdheit zwischen den ästhetischen Ideen des Künstlers und seines Mäzens. Das Verhältnis von Liebes-Maskerade und ökonomischer Abhängigkeit hat Wagner tief verstört, „förmlich gespenstische Beziehungen", seufzt Cosima (I, 770), und Wagner befürchtet zu Recht, daß der Zwang, der ihn nötigte, sich im üppigen Barock des epistolaren Hofzeremoniells auszudrücken, zu Mißdeutungen Anlaß geben könnte: „Von seinen Briefen an den König spricht er, daß die Nachwelt, so sie Kenntnis davon erhielte, sie den Ton darin nicht verstehen würde" (II, 140).

Man sollte, empört man sich über Wagners Ausbeuterdrang, nicht übersehen, daß ihn diese Haltung, zu der um seines Werkes willen verpflichtet zu sein er beharrlich überzeugt war, schwer mitgenommen hat bis zu heftigster Verzweiflung: diese „Schmach, von diesem König abhängig zu sein, es ist unerhört und unerträglich" (I, 422). So oft dieser grandiose Histrione sich vor der Wahrheit auch mag verkleidet haben, – ein Leben in Wahrheit schien ihm erstrebenswert und mehr als das. So hat denn die Lebenslüge in ihm gefressen, und heute mag man ahnen, welchen Anteil sie an seinem damals nicht erkannten Herzleiden gehabt haben kann, dem der Neunundsechzigjährige schließlich erlag: Er „bricht in Tränen über den König aus (. . .). Nach allen Seiten hin habe er Wahrhaftigkeit sich erobert, einfach stehe er da, und mit dieser einen Lüge würde er zu Grabe gehen; er weint heftig" (I, 417).

Cosima Wagner und Cosimas Wagner

Das Leben im Tagebuch

> „Die Kunst ist vielleicht ein großer Frevel“
> (Wagner beim Tode des Sängers Schnorr v. Carolsfeld 1865, Cosima am 24. 1. 1869)

I. Einzug in Qualhall

April 1871. Cosima und Richard Wagner reisen vom Schweizerischen Tribschen nach Deutschland, den Ort suchend, der allein jenem Theater gemäß ist, das allein der Aufführung des großen Werks gemäß sein wird. Von Nürnberg geht es nach Bayreuth. „Lieblicher Eindruck der Stadt“, das war am Nachmittag des 18. April. Dann aber kommt die Nacht, kommt „in Angst und Sorge, R. wacht plötzlich mit Fieberfrost auf“.

Es ist, als hätte der Geist von Bayreuth zugeschlagen in jener ersten Nacht, die Wagner in der Stadt zubrachte, deren Name eines Tages, nach monumentalen Mühen und grandiosen Riesenkämpfen mit dem seinen untrennbar verknüpft sein sollte. Das Fieber mag so etwas wie eine wütende Reaktion des Organismus gewesen sein, durch den das Schicksal mit Fieberfrost den Unwissenden seine Bedenken signalisierte. Vorerst ist man ohne Arg, besichtigt das Markgräfliche Theater und stellt fest, was nun freilich jeder Wissende vorher wissen konnte: Es „paßt für uns gar nicht; also bauen, und um so besser“. Die Eintragung Cosimas kontrastiert in ihrer Beiläufigkeit sehr eindrucksvoll mit dem, was die Tagebuchschreiberin später wird vermerken müssen: dem Gebirge der Mühen, wie sie dann verbunden sind mit der Übersiedlung zuerst (1872), dem Bau des Theaters und „Wahnfrieds“ dann (Einzug 1874), der Einrichtung und Eröffnung der Festspiele vor hundert Jahren schließlich.

II. Ein Schatz für Siegfried

Der Tagebücher Erster Teil.[1] Nicht ohne den Reiz erhoffter Sensationen lange erwartet, und im Stil des Hauses von skandalträchtigen Begleitmythen verbrämt. Dieses Buch, voll von Schicksal, hatte sehr bald ein eigenes – und in seiner verwikkelten, von Behauptungen, Verfügungen, Unterstellungen bewegten Geschichte spielt vor allem Tochter Eva (Chamberlain) eine dubiose Rolle. In ihrem Vorwort legen die Herausgeber dar, was darzulegen ist – es bleibt allemal erstaunlich und verwirrend, daß dieses Werk so lange verborgen und verschlossen blieb, so lange wie „kein anderes, auch nur annähernd vergleichbares kulturhistorisches Dokument des 19. Jahrhunderts“ (Gregor-Dellin). Ein Werk, unmäßig in seinen Proportionen wie alles, was aus Wagners Welt hervorging. Von größtem Reiz, weil bewußt die große Autobiographie und ihre epische Umschweifigkeit fortsetzend.[2] Denn während Cosima ab 1869 die Chronik von ihrer beider gegenwärtigem Leben diaristisch notiert, nimmt sie zugleich das Diktat der schließlich mit dem Ludwig-Jahr 1864 endenden monumentalen Vorgeschichte auf. Wagner hat es selber immer wieder empfunden, und, wie es seine Art war, immer wieder ausgesprochen: Mit Cosima setzte für ihn das innere Leben ein, nachdem das äußere durch Ludwig gerettet war, es war Ausdruck einer wenn nicht Notwendigkeit so doch strengen Richtigkeit, daß sein eigenverantworteter Lebensbericht da schließt, wo Cosima beider Schicksal in die Hand nimmt und aufschreibt. Das begleitet von nun an jeden Tag (wenn gelegentlich auch nur flüchtig, und unter mancherlei Druck zuweilen von Versehen nicht frei) bis zu Wagners Tod. Sie aber hat weitergelebt, fast ein halbes Jahrhundert: ein ungeheurer Zeitraum, innerhalb dessen ein „Vermächtnis" notgedrungen seine wunderlichsten Formen annimmt, wer ist dem gewachsen: fünfzig Jahre lang Willensvollstrecker zu sein?

Cosima war es. Freilich auf ihre nicht immer leicht zu begreifende und gewiß oft schwer zu ertragende Weise, und wenn man „Geschichte" einfach mit jenem Zeitraum einsetzen läßt, der von keinem der Lebenden mehr als einem Zeugen begleitet worden ist, so macht das Sterbedatum 1930 deutlich, wie wenig Wagners Erbe in solchem Sinne „Geschichte", wie nah es uns noch ist und also, wie irritierend es jene Form der Bewältigung fordert, die es uns erlaubt, unsern Frieden zu machen mit dem was war und dem was ist.

Dies Buch gehört dem König, dem jungen König. Nämlich dem einzigen Sohne Siegfried, als drittes Kind der beiden 1869 geboren und „Fidi" genannt. Er ist in der Tat auf eine rührende Weise Glück und Stolz und Hoffnung der Eltern, und das Tagebuch, laut Widmung den Kindern bestimmt, ist nun wiederum Siegfried „ganz besonders zugeeignet". Das Motiv der Chronistin ist sehr schlicht und sehr ernst: Die Kinder, sie sollen ihre Eltern kennen und erkennen in diesen Seiten, aus diesen Seiten. Das sollte nun nicht sein, oder jedenfalls sollte es Siegfried verwehrt sein, zu lesen was für ihn geschrieben war, denn Eva bebrütete fafnergleich den Schatz, und das heißt: ohne daß er Nutzen brachte – vor dem Jahre 1976. Da aber war nun Siegfried fast ein halbes Jahrhundert schon tot.

III. Masse und Maß

Ein Text von 1200 Seiten, das ist eine Zumutung. Wer für jede Seite nur zwei Minuten brauchte (und für die kommentierenden Anmerkungen braucht er mehr), der hat vierzig Stunden Lese-Arbeit vor sich, Lektüre also für Wochen. Es wird nicht viele geben, die gelassen behaupten dürfen, das Ganze von Anfang bis Ende gelesen zu haben, und die sich befreit auf den zweiten Band freuen. Zu den wenigen darf ich mich rechnen lassen, und so ist es denn billig, auf den beschwerlichen Ballast hinzuweisen, den diese Aufzeichnungen durch sich selbst mit sich schleppen. Die Wiederholungsfigur ist das Grundmotiv der Notate, alles ist ein gewaltiger Kreislauf von Alltagssorgen, von Reisen, Besuchen, von Korrespondenz, von Ärger mit den Dienstboten und Erziehungsmalaisen und Gebresten des störrischen Körpers. Hätten die Herausgeber also kürzen sollen? Diese scheinbar plausible Forderung durften sie gewiß nicht erfüllen. Mißtrauen, Neid und Argwohn wucherten von je üppig in der Aura Wagners und seines Clans, jede Kürzung wäre von Freunden wie Gegnern als meinungssteuernde Fälschung verdächtigt worden. Das Dokument mußte unangetastet bleiben im Ganzen wie im Einzelnen, und so steht es denn auch da in seiner selbstverschuldeten Überlast als das Denkmal eines materialstrotzenden Jahrhunderts und seines monströsen Artisten. Hat man das akzeptiert, dann wird die füllige Schwäche dieses Buchs sogar strukturbildend und man begreift sie als Entsprechung eines Elements der Wagnerschen Musik, begreift die tektonische, die bestätigende, die stabilisierende Funktion der beharrlichen ja penetranten Wiederholung. Das Ausschweifende als Norm. Das Maß in der Masse.

IV. Die totale Harmonie

Es ist an der Zeit zu sagen, was das Einzigartige an diesen Aufzeichnungen ist. Die Bemerkungen zur Kunst der Zeit, zur eigenen, zur fremden Musik? Beobachtungen zur Politik, zur geschichtlichen Situation, zu Krieg und sozialer Frage? Überlegungen zu Menschen und Übermenschen, zu Nietzsche, Bismarck, und zum Leiden der hilflosen Tier-Kreatur? Räsonnement über Familie und Gönner, Bewunderte und Verachtete, über preußische Armee und Judentum? All dies ist reizvoll, aufregend, faszinierend gelegentlich und gelegentlich abstoßend, und doch ist es das ‚Eigentliche' nicht. Das Eigentliche dieses Tagebuchs ist die Dokumentation einer ganz singulären Symbiose. Hier präsentiert sich die Inszenierung einer Ehe, die schlechterdings die glanzvolle Rechtfertigung der Ehe-Idee überhaupt ist. Da sind einander zwei Menschen zu Lebensrettern geworden und verwirklichen sich wechselseitig. Der Grad der Übereinstimmung ist vollkommen bis zur Absurdität, die wechselseitige Zustimmung grenzt an Lächerlichkeit. Eine Orgie der Harmonie, und wo gelegentlich Verstimmung und Ärger hochkommen, da werden sie alsbald und immer als Mißverständnis erkannt. Es fehlte dieser Ehe somit das antagonistische Prinzip, das Element Widerspruch und Widerstand, dem sich alle fruchtbare Partnerschaft verpflichtet weiß? Cosima und Wagner war dieses Moment nicht nötig, vielleicht hätte es sie gestört, so blieb die reine Aufgabe: Dienst am Genius, Unterordnung in allen Dingen des Alltags und der Feier, und wehe dem Weibe, das sich vermißt, aus solcher naturgegebenen Verpflichtung auszubrechen. Cosima belächelt jede Emanzipation der Frau, – und dieses Lächeln ist so stark und dauerhaft, daß man des dialektischen Charakters solcher Dienstbarkeit inne wird. Da baut sich aus gänzlicher Unterwerfung und Unterwürfigkeit mit Hilfe des Prinzips Abhängigkeit ein Herrschaftssystem auf. Dies alles mag auch zu tun haben mit Daniel Stern, einem politischen Schriftsteller, der eine Frau war: nämlich Gräfin Marie d'Agoult, die Geliebte Liszts und Mutter Cosimas. Sie dominierte in ihrem glänzenden Salon Männer, und Geist, und Männer von Geist, da wich ihre Tochter aus in die Attitüde der totalen Zurücknahme, Dienst als Feier, Klosterzucht als Fest, Leidenschaft des schmiegsamen Verstehens. Solch sanfter Gewalt war der allesbeherrschende Wagner schließlich zur Gänze ausgeliefert, ohne diese seine Frau konnte er – und er weiß es und sagt es – nicht mehr sein, und sie leben ein Leben der radikalen Eintracht, ohne ihr Ich auszulöschen, ohne es zu relativieren. Im Gegenteil, ihr Ich kommt zu sich dadurch, daß es zu dem anderen kommt.

Cosima hat ein Trauma: Verrat an Bülow, ihrem ersten Mann. Seit sie ihn um Wagners willen betrogen, seit sie ihn verlassen hat, richtet sich ihr Leben nurmehr an zwei Größen auf: Buß und Reu angesichts des Getanen; und Versuch der Rechtfertigung des Getanen durch Dienst am Werk des Größten, am Werk Wagners.

Ihre Selbstanklagen, ihre Gebete, ihre nächtlichen Exerzitien haben etwas Erschreckendes und Schreckliches. Ihr Leben ist *servitium* und Bußübung, ihr Tagebuch das Dokument einer tränenreichen Passion, stilisiertes Nonnen-Dasein in der Wonne des selbstgewünschten Martyriums. Ein Geißler-Lied, lustvolle Selbsterniedrigung, brünstiges Dienen: durchaus antizipierte Kundry. Schmerzensfrau, das Evangelium des persönlichen Leidens unaufhörlich psalmodierend. Ein ritueller Kreistanz um Hans (v. Bülow), um die Kinder dieser ersten – von ihr als Irrtum angesehenen – Ehe, um den verzweifelten Wunsch, sich diesen Kindern deutlich und verständlich, sich damit vielleicht schuldfrei zu machen, – all dies verbunden mit der unbeirrbaren Überzeugung, das allein Richtige und Rechte getan zu haben durch die Hingabe an Wagner.

Sie schläft nicht, sie weint und betet und arbeitet. Arbeitet staunenswert viel, und wenn ihr auch die Mühsal der Hausfraun-Fron weitgehend abgenommen ist durch die Schar der Dienstboten (sie sind vorhanden, erwähnt werden sie nur wenn sie, nach Dienstboten-Art, Ärger stiften und Zank, und diebisch sind), so ist da doch die ernste Sorge um Leib und Seele der fünf Kinder, so bleibt der Haushalt mit Wagners irrationalem Verhältnis zum Gelde (also den materiellen Sorgen), so bleibt die immense Korrespondenz, bleiben die Gastgeberpflichten, die Besuche und Besucher, die Reisen, bleibt das „Überziehen" (der Wagnerschen Bleistift-Noten mit Tinte), bleiben Kopfschmerz und Krankheit aller Enden, bleibt vor allem: die rückhaltlose Hingabe an diesen Mann und seine wütende Selbstverwirklichung im großen Werk. Sie ist immer für ihn da, ist immer bereit ihn zu verstehen, zu rechtfertigen, ihn abzuschirmen und zu schützen, seinen Charakter den Inbegriff der reinsten Güte, seine Musik göttlich zu finden.

Pathos der Tränen. Dem ausgiebigen Weinen entspricht freilich auch viel Lachen, aber merkwürdig: während es dem Gesetz des Tagebuchs zu entsprechen scheint, das Weinen zu notieren als eine allemal extreme Gemütsbewegung, mutet es seltsam an, immer wieder das Lachen eigens vermerkt zu sehen. Es darf viel gelacht werden im Hause Wagner, das hängt zusammen mit des Meisters grobschlächtig-knorrigem Witz, mit seinem Sinn für die handfeste, banale und komödiantische Pointe, seinem histrionischen Selbstdarstellungs-Trieb, und Cosima quittiert solch Gauklertum dankbar, registriert es gehorsam. Sie selber hat kein Quentchen Humor, denn Humor hat im Gegensatz zum Witz ja auch zu tun mit Sinnlichkeit, und Sinnlichkeit scheut diese Nonne wie der Teufel das Weihwasser. Sie sagt es nicht, aber sie signalisiert es, und da wird es gelegentlich Konflikte zwischen den Liebenden gegeben haben, von denen das Tagebuch zu reden sich scheut. Pas devant les enfants, Wagners abendlicher Vorlesung vermag sie ein einziges Mal nicht zuzuhören, er rezitiert nämlich die „Lysistrata", und „unmöglich, die Zügellosigkeit ist so groß, und Frauen dürfen daran keinen Teil nehmen". Da geht er spazieren, und sie sitzt „lange im Mondschein im Treibhaus" (28. 1. 1874).

Auf ihrer *via crucis* nimmt sie die Kinder mit, die nicht ohne Widerstreben folgen. Das geht bis zum Geißlertanz: „Die Kinder werden sehr ernstlich vorgenommen, mit ihnen geweint, gebetet, sie so weit gebracht, daß sie mich um Strafe bitten" (1. XII. 1871). Das wiederum werden Kinder und Kindeskinder auszutragen haben.

Die Frau als Frau, die Frau als Mutter, Herrschaft die sich als Dienst versteht: „Ich kann gar nicht begreifen, wie eine Frau, die ein Kind hat, nur daran denken kann, etwas andres zu betreiben als die Erziehung dieses Kindes, auf diesem Gebiete ist sie die unersetzliche Herrscherin." Da verrät die Sprache sie. So einfach ist das: Der Mann und Vater wirkt nach Außen, die Frau und Mutter nach Innen, er herrscht, dafür ist sie „heilig", aber das Wahlrecht bekommt sie nicht, Frauen-Bewegung ist moderner Unsinn, sie soll nicht anstreben, „Mannsperson" zu werden, die sie doch niemals wird (8. VIII. 1869).

„Eines begreife ich nicht, daß eine Frau freiwillig, zu ihrem Vergnügen, in die Öffentlichkeit tritt. Es ist mir, als ob die Erfahrungen des Lebens sie immer stiller machen müßten und sie immer mehr auf ihre Hauptaufgabe zurückführen: tüchtige Männer und gute Frauen zu erziehen" (19. XII. 1873).

In der Tat, diese Blätter bezeugen, daß diese Frau ihrer Herkunft, ihrer Begabung, ihrem Selbstbewußtsein zum Trotz nicht in die Öffentlichkeit strebte. Die Fürsten dieser Welt sind ihre Partner, – sie drängt sich nicht nach ihrem Umgang, und offensichtlich lag auch Wagner weniger daran als sein Mythos wahrhaben wollte. Sein Werk verlangte nach ihnen, – nicht seine Eitelkeit, nicht sein Selbstbewußtsein. Cosima aber wendet sich schon in ihren jüngeren Jahren nach Innen: die Augen sind schwach, und das nicht nur vom Weinen, – Lesen und Schreiben fallen ihr zuweilen und zunehmend schwer, und das Leiden nimmt zu. 4. II. 1874: „Meine kranken Augen zwingen mich zur Untätigkeit, immer mehr wende ich mich nach innen – und es ist mir zuweilen, als ob ich bald gar nicht mehr würde sprechen können." Und durchaus rührend das Bekenntnis vom 16. X. 1874: „ich altre gern, mit jedem grauen Haar erlöscht ein eigenwilliger Gedanke!" Da setzt Moral gar die Grammatik außer Kraft (deren Regel „erlischt" verlangen will).

Was nun Cosimas Schreibe-Stil anbetrifft, so muß man allererst bedenken, daß Deutsch ihre zweite Sprache ist, mit der sie sich nicht ganz leicht tat (auch in der Orthographie). Indessen entspricht es ihrer Neigung zu erhabener Pose, daß sie da *wandelt,* wo unsereins *geht*, daß sie *speist,* wo unsereins *ißt,* daß sie *sinnt,* wo unsereins *nachdenkt,* daß sie *weilt* und nicht *bleibt,* daß sie *Sein* hat und nicht *Leben.* Es war gewiß

Würde in ihr und um sie, aber sie hat sich auch als Folie von Würde empfunden und staffiert.

VI. Göttliche Güte und göttliches Werk

Zur Lektüre des Sommers 1869, des Jahres also, in dem die Tagebuch-Arbeit einsetzt, gehört auch Eckermann:

„. . . den Vormittag im Bett mit den Eckermann'schen Gesprächen zugebracht, große Erbauung daraus entnommen. Solch großes Wesen wie G(oethe) bleibt ein unerschöpflicher Quell des Trostes. Bei Tisch bringt uns der undankbare Trotz eines Knechtes auf ein bedeutendes Gespräch" (18. VI. 1869).

Die Stelle scheint mir bedeutsam. Fugenlos geht die Eckermann-Lektüre über in einen Eckermann-artigen Satz, und so ist die Vermutung erlaubt, daß Cosima antritt als ein zweiter Eckermann, entschlossen (ohne es vielleicht zu wissen), dem „großen Wesen", das ihr der unerschöpfliche Quell des Trostes ist, sein Denkmal zu bereiten. Denkmal für die Nächsten freilich nur, denn für die Welt baut er selbst an dem seinen: Bayreuth. Er selber sich selbst.

Wer gesehen hat, wie unübersehbar die Literatur über Wagner geworden und wie kontrovers das Urteil über ihn als Menschen geblieben ist (das über den Musiker ist kaum mehr von Zweifeln an seiner Größe bedroht), der wird begierig sein, einen anderen, einen ergänzten, einen neuen Wagner aus Cosimas Tagebuch zu gewinnen. Die Erwartung ist berechtigt, sie wird nicht enttäuscht, und hier mag eine wesentliche Bedeutung der Veröffentlichung liegen.

Natürlich war er ein Menschenfresser. Natürlich war er ein Ausbeuter seiner Nächsten und Fernsten. Natürlich war er ein permanenter Selbstdarsteller, in Reden und Briefen und Auftritten und Lesungen sich ununterbrochen präsentierend und die Stunden füllend mit dem, was in seiner sächsischen Heimat „Gemähre" heißt. Natürlich war seine Selbsteinschätzung gewaltig, und gar in der Brechung durch Cosima erhält die Figur gigantische Dimensionen: Sie denkt sich, daß seine

„Hervorbringung“ die „gewaltige Rettung des germanischen Geistes“ durch die Natur darstelle, die sich beleidigt der Unterdrückung ebendieses Geistes durch fremde „Race“ entgegenstemme: das verhaßte romanische, das verhaßte jüdische Element (10. IX. 1873).

Aber da ist auch ein anderer Wagner, einer der scheu ist, müde und traurig, der leise reden kann, und der klein denkt von sich und seinen Kapazitäten: „Was ich für ein Stümper bin, glaubt kein Mensch, ich kann gar nicht transponieren. (. . .) Mendelssohn würde die Hände über dem Kopf zusammenschlagen, wenn er mich komponieren sähe“ (23. VI. 1871).

Recht hat er, das macht ihn nicht geringer, er singt nicht, wie der Vogel singt, er ist nicht Mozart noch Mendelssohn (noch der vergötterte Beethoven), und er weiß es, das macht ihn größer als wenn er sich mit ihnen verwechselte:

„Ich verfluche dieses Musizieren, diesen Krampf, in den ich versetzt bin, der mich mein Glück gar nicht genießen läßt (. . .); dieses Nibelungen-Komponieren sollte längst vorüber sein, es ist ein Wahnsinn, oder ich müßte gemacht sein, wild wie Beethoven; es ist nicht wahr, wie ihr euch einbildet, daß dies mein Element ist; meiner eignen Bildung zu leben, meines Glückes mich zu erfreuen, das wäre mein Trieb“ (28. VII. 1871).

Er hat die Qual, zur Kreativität verurteilt zu sein, empfunden wie nur einer, dazu die Demütigung durch Unverständnis und Mißverständnis und Hohn, – vor allem aber: „Diese Schmach, von diesem König abhängig zu sein, es ist unerhört und unerträglich“ (27. VII. 1871). Als unerträglich mußte Wagner nicht nur eine auf Lüge einerseits, Verblendung anderseits beruhende Beziehung erscheinen, deren äußerliche Rettung dennoch gefordert wurde von dem Willen, das Werk zu retten. Der Retter aber hat dieses Werk niemals verstanden sondern in ihm lediglich die rauschhafte Verklärung seiner wahnhaften Phantasiegebilde gesehen. Ein bizarres Verhältnis, das Wagner nötigt, in seinen Briefen Hofzeremoniell und Liebesgetön krampfhaft zu mischen, der König aber entrückt sich in immer weitere Fernen.

Übrigens hat Wagner so wenig wie zu Ludwig so zu anderen Männern je eine tiefere, andauernde, über den Bereich von Interesse und Nützlichkeit hinausgehende Beziehung gehabt. Frauen braucht er, Männer gebraucht er, Frauen stimulieren, Männer nützen. Nietzsches Genie haben er und Cosima erkannt, – und wie wenig doch sind sie von ihm ergriffen, sie sehen ihn – und die andern – nur in seiner Placierung innerhalb des Wagnerschen Gravitationsfeldes. Vielleicht ist Schnorr, der erste Tristan, die Ausnahme, aber sein früher und absurder Tod mag hier sentimentale Anhänglichkeit genährt haben. Im übrigen: ob Cornelius oder Humperdinck, ob Rubinstein oder Levi, ob Rohde oder Richter: sie alle werden gebraucht, genutzt, geschätzt und gewürdigt gemäß ihrem Wert für das Haus Wagner – und kühl entlassen, böse kommentiert, schnöde verlästert, wenn es sich denn so ergibt: das Bülow-Modell.

Und beklemmend, wie kühl Cosima registriert, wenn einer der alten Freunde und Helfer stirbt. Sie halten nicht viel von den Menschen, schon gar nichts von Musikern („woher meinen Hagen nehmen mit dieser hallenden protzigen Stimme; die Kerle, die solche Stimmen haben, sind dann Dummköpfe", 28. VII. 1871); – umso mehr dafür von Tieren. Dieser Wagner der Tagebücher ist in der Tat nicht der selbstinszenierende Meister, nicht das auftrumpfende Jahrhundertgenie der Deutschen, nicht Pater und Magister der Nation, sondern Vater und Lehrer seiner Kinder und seiner Frau. Man hat bisher nicht gewußt, nicht wissen können, wie zart und zärtlich er Fürsorge praktizierte, wie liebevoll er den Seinen im engen Bereich zugetan war, wie selbstironisch-relativierend er sein eigenes Genie sehen konnte im Raum der eigenen Häuslichkeit. „In Deutschland muß man die große Glocke schwingen, wie ich es tue, auf den Deutschen wirkt nur das Erhabene, und es ist bei uns die Musik das einzige Arcanum" (4. III. 1874). Ja Liszt mit dem Charisma des Virtuosen, der braucht „bloß dazusein“ und reißt dann die Weiber hin, – jedoch „unsereiner muß immer erhaben sein“ (3. V. 1873).

Übrigens errichtet diese Familie eine Häuslichkeit, deren Bildungsvolumen man nur staunend registrieren kann. Denn wenngleich Cosima und Wagner, er vor allem, gewiß eminente geistige Potenzen sind, ausgestattet mit einem soliden Wissensfundus, bewegt von dringlichen Interessen und geleitet von Wagners agogischem, nie zu sättigendem Sinn für das Bedeutende, ihm Angemessene, so bleibt doch die Vermutung erlaubt, daß auch das übrige gebildete Bürgertum seine Abende nicht eben untätig verbrachte. Das Vor-Fernseh-Zeitalter ging, so machen die Wagners es uns deutlich, mit den Großen im Geiste um wie wir heute mit Figuren des Unterhaltungs- und Literaturbetriebs. Kein Essen, das nicht gewürzt wurde durch Platon, Kant oder Schopenhauer, kein Abend, den nicht die Lektüre (meist liest Wagner vor) der Griechen oder Carlyles, des „Don Quichote“ oder Shakespeares, Goethes oder Calderons sinnvoll gemacht hätte. Kein beiläufiges Durchblättern, kein affektiertes Protzen mit Angelerntem, da ist das Wissen präsent, das sich über Lebensform in Bildung umsetzt, und das Exempel ist so eindrucksvoll, daß einem für diese Lebensart nur das Wort ‚Würde‘ einfällt. Zur Entspannung einmal, fast entschuldigend wird es gesagt: Goethes Gedichte. Bemühung, die der Mühe spottet, die Welt ist hier in ihren großartigsten Zeugnissen nach dem Essen zu Gast wie bei uns heute die Tagesschau und was ihr folgt.

Bis zur Marotte schier geht indes seine Tierliebe, Pferd und Hund können sein Herz ebenso beschweren wie bewegen: „R. kommt heim, trübe, er hat wieder Tierquälereien gesehen“ (26. IX. 1869); und „gestern schrie er auf, als er ein armes Droschkenpferd erblickte, das vor Elend und Mattigkeit gar nicht langsam mehr gehen konnte“ (1. V. 1871), – das ist nicht etwa Gratis-Humanität, sie wird auch zur Tat gerinnen: „Herrn Feustel’s Geburtstag, zu welchem ich die Kinder hinschicke mit einer Gänseleberpastete, bei welcher Gelegenheit wir uns schwören, R. und ich, niemals dieses raffinierte Produkt der menschlichen Grausamkeit zu genießen" (21. I. 1874). Und die Grenzen zwischen Menschen und Tier verblassen vollends und lassen der Groteske freien Zutritt, wo die Kreatur zum bloßen Symbol verdorrt, im Balg nämlich: „Es freute die Kinder vor allem die Betrachtung von ausgestopften Vögeln. Eine Ente erregte auch R's. Aufmerksamkeit, ‚Gott dieser Blick, Tristan und Isolde, die ganze Melancholie des Daseins'" (24. II. 1870). Wo Sentimentalität und Pathos sich finden, hat Stil einen schweren Stand (es werde von ihm erwartet, daß er „immer einen Weltuntergang in jeder Note" liefere, hat er selbstironisch am 16. XI. 1869 gemeint), so flüchtet er sich, mag es scheinen, zum Ausgleich in die Idylle unverbindlicher Tierliebe, auch in die süßen Nichtigkeiten des Umwelt-Luxus, der parfümierten Verwöhnung. Aber der Fall liegt ernster, wie etwa Wagners Eintragung für Mathilde Wesendonck vom 1. X. 1858 zeigt. Es geht um das Prinzip Mitleid als Erlösungs-Instrument, das Parsifal-Thema also:

„ich bin mir aber auch darüber klar geworden, warum ich mit niedreren Naturen sogar mehr Mitleiden haben kann als mit höheren, die höhere Natur ist, was sie ist, eben dadurch, daß sie durch das eigene Leiden zur Höhe der Resignation erhoben wird oder zu dieser Erhebung die Anlagen in sich hat und ihnen folgt, sie steht mir unmittelbar nah, ist mir gleich, und mit ihr gelange ich zur Mitfreude. Deshalb habe ich, im Grunde genommen, mit Menschen weniger Mitleiden als mit Tieren."

Da ist das Parsifal-Problem (wie schon der zeitliche Kontext erkennen läßt).

Friedlos vom Wahn besessen, „Wahnfried" zum Trotz, bleibt er seinen Marotten treu, und was dem Tier zugewendet wird, entzieht das Paar dem Menschen. Dann jedenfalls, wenn es sich um Menschen der „Race" Juden oder Franzosen oder Jesuiten handelt (und das dritte „J" liefern die Journalisten). Wagners Antisemitismus kann man als aberwitzige Fixierung abtun. Man kann ihn erklären aus dem Elend seiner Hunger-Jahre, für das er Paris und jüdische Meinungsmacher verantwortlich glaubte. Man wird überdies Cosimas bestärkenden Einfluß bedenken müssen, die ihre Schwierigkeiten hatte mit ihrer französisch-deutsch-ungarischen Herkunft. Und doch geht solches Beschönigen nicht an, nachdem Wagner, leidenschaftlich-engagierter Gegner der Vivisektion, durch seine Schriften eine Saat mitgesät hatte, die fünfzig Jahre später blutig aufging. Ohne Hitler wäre Wagners Judenhaß eine peinliche Belanglosigkeit. Nur: man kann das eine vom andern nicht trennen.

Beide, Cosima wie Richard, sind große Träumer. Nicht im übertragenen sondern im wörtlichen Sinne. Und sie ahnen, dreißig Jahre vor Freud, mancherlei von der aufschlüsselnden Wahrheit ihrer Traumgebilde. Daß Wagner träumend erlebt, der Sohn der Königin von Preußen zu sein, ist leicht faßlich (27. XII. 1875). Aufregender ist die Bemerkung vom 15. Oktober 1873: „R. arbeitet, ist aber immer unwohl, hat üble Nächte (träumt von zwei zudringlichen Jüdinnen)." Das ist in der Tat ein starkes Stück. Und natürlich wird der Widersacher schlechthin, wird Hanslick in diesen Wahn eingesponnen: „Bei Tisch erzählt er (W.) uns von Hanslick (die Mutter eine Jüdin)" (27. VI. 1870), wie denn nicht.

Es gibt eine Naivität die nicht entlastet sondern die mörderisch wirkt. So wenn Cosima der Empörung darüber Ausdruck gibt, daß man hie und da auf das Pamphlet über das „Judentum in der Musik" mit Empörung reagiert habe. Tierliebe und Rassenhaß, die Melange ist keine deutsche Erfindung, aber die Deutschen haben aus ihr ein System gemacht mit mörderischen Folgen. Hitler hat so wenig von Wagners Musik verstanden wie der Bayernkönig, aber er hat etwas anderes verstanden. Und Frau Winifred wird ihm dabei geholfen haben. Eine Engländerin wie Schwiegersohn Chamberlain, – wer wollte das als Entlastung buchen?

„Was ist deutsch?", – die Frage hat Wagner lebenslang fasziniert und er hat ihrer Beantwortung ein bedeutendes Werk widmen wollen, es ist gottlob nur stückweise (und für Ludwig) geschrieben worden. Bis zur Manie steigert er die Definitionsversuche, das Tagebuch ist stereotyp durchsetzt von der Formel: „Dies ist deutsch!", und dann folgt ein mehr oder minder sinnvoller Syllogismus. Die „Heiterkeit, das ist das, was uns Germanen kennzeichnet" (21. VI. 1872), das kann er nicht ernst gemeint haben, seine Germanen jedenfalls sind bar aller Heiterkeit, Siegfried hat allenfalls Anlage zum Albernsein, Wotan zu leisem Humor (aber erst, als es mit ihm zu Ende geht).

Diese irrsinnige Fixierung, die ihn immer wieder auch um seine großen deutschen Heldengestalten kreisen läßt, um Staufer-Könige und Luther, um Friedrich den Großen und Bernhard von Weimar, um Luther und Bismarck, hat natürlich zu tun mit seiner Biographie, mit seinem Selbstverwirklichungswillen. Er will das Analogon liefern zu Bismarcks Reichsgründung, will „das Deutsche" als Kunst repräsentieren, und was ihm scheinbar oder tatsächlich durch Franzosen und Juden widerfuhr, soll seinen Gegen-Entwurf bestätigen. Das Deutsche Reich: als Politik durch Bismarck, als Kunst durch Wagner konstituiert. Nicht er identifiziert sich mit „dem" Deutschen, das Deutsche soll sich identifizieren mit ihm.

In solchem Sinne Cosima am 13. VII. 1871: „Er arbeitet; ich sage ihm daß es für mich kein Zufall ist, daß die Vollendung dieses Werkes [gemeint ist wohl der „Ring" insgesamt, oder der „Siegfried"? P. W.] mit dem deutschen Reich zusammenfällt".

Die Kriegserklärung an Frankreich löst dann auch nur pathetische Gestik aus, es stellt sich ein mythischer Zusammenhang her, da man 1870 Beethovens hundertsten Geburtstag begeht, und „R. sagt, er beginne zu hoffen; der Krieg sei erhaben, er zeigte die Nichtigkeit des Individuums" (18. VII. 1870). Wieder steht der räsonierende Ideologe gegen den Musiker, denn wo wäre Musik, die das Individuum seiner Nichtigkeit heftiger entrückt als die Wagners?

1876, nach der Lektüre des „Kriegswerks" (von 1870/71) der lapidare Satz: „R. liebt und verehrt nur noch die Armee". Es geht dann, nach Gedankenstrich, tröstlich unlogisch weiter: „Abends sagt er mir, er habe nur Freude an mir, ich sei das einzige, was er habe" (4. V. 1876). So ergibt sich dann auch zwanglos die Analogie von Krieg und Bayreuth: der 26. September 1870 rühmt die deutschen Truppen und verzweifelt zugleich an ihnen, weil nämlich sie in die Schlacht ziehen mit der elenden Melodie der „Wacht am Rhein" auf den Lippen. Dann folgt ohne Übergang ein Wort zur Sappho, und dann:

„Noch einmal wollen wir es versuchen mit dem deutschen Vaterland, mit Bayreuth, gelingt es nicht, dann leb wohl Norden und Kunst und Kälte, wir ziehen nach Italien und vergessen alles."

VIII. Erkennen und Verkennen

Mit Goethe, dem so hoch Verehrten, hat Wagner die Fähigkeit zum Verehren ebenso gemein wie die zur schnöden Verkennung von Größe. Da sind die Götter: die Alten, Shakespeare, Cervantes, Goethe, Schopenhauer. In der Musik: Bach, Mozart, vor allem aber und immer wieder der einzige Beethoven. Wenn einer so verzweifelt Anerkennung begehrte, Verstehen suchte wie Wagner, dann bleibt es schwer und beschwerlich, die Liste der Verkennungen zu studieren. Warum höhnte er Hebbel, warum langweilte ihn Hölderlin, warum kein Interesse an Schubert und Schumann, warum fand man Brahms „roh" und merkte nichts von dem Genie des ihn kniefällig anbetenden „armen Organisten Bruckner", warum berührt ihn nicht der funebre (und verwandte) Prunk von Verdis „Requiem" und nicht die Verve der „Carmen"-Musik? Sgambati hingegen in Rom wird in all seiner Belanglosigkeit belobigt und Schott empfohlen.

Das Genie ist in der Regel partiell blind, aus Gründen der

Ökonomie. Was er andern indessen schuldig mag geblieben sein, an seiner eigenen Musik sah Wagner das Bedeutende sehr klar. Man mag sich enttäuscht zeigen angesichts der proportional geringen Menge von Äußerungen aus diesem Bereich, aber was da gesagt wird, wiegt viele Seiten Sekundärliteratur auf: auch da, wo es sich allgemein gibt. Musik, sagt er, mache dumm oder bös, die „Töne" sind Dämonen (im Gegensatz zu den göttlichen „Begriffen"), und wer nichts betreibe als Musik, dem fehle mehr von „Welt" als der, dem nicht der Begriff, jedoch die Musik verschlossen ist. Dem bloß Zuhörenden, unsereinem also, geht mancherlei auf und mancher Verdacht bestätigt sich ihm, wenn er liest: „überhaupt sei alle Musik für die Ausübenden gemacht". Wichtig als Charakteristik der eigenen Leistung dann unter anderm die Bemerkung: „Das ist meine eigentliche Neuerung, daß ich den Dialog in die Oper eingeführt habe, und zwar nicht recitativisch." Eine Technik (wenn man es denn so nennen will), die zusammenhängt mit dem Prinzip des „Übergangs" und der „unendlichen Melodie". Man begreift etwas von der Schonungslosigkeit dessen, der das Neue macht, über das sich dann die Hörer entsetzen werden, wenn Wagner von der Waltrauten-Szene sagt, er sei selbst erschrocken „über seine Harmonienfolgen". Und immer wieder Selbstzweifel, Unsicherheit über den Noten und ihren Linien: „. . . befrägt sich häufig, da er kein Orchester hört, ob er nicht zu viele Instrumente nimmt", und er „befrägt" sich sehr oft, „ob er nicht zu reich instrumentiert".

Wagner wollte immer der Erste sein. Er war auch sein erster Kritiker.

IX. Wirklichkeit und Richtigkeit

Bleibt die Frage, die einen bei der Lektüre dieser 1200 Seiten ständig begleitet: ist Cosimas Wagner der wirkliche Wagner? Oder, wenn die Frage nach der „Wirklichkeit" zu vermessen ist: Hat sie, ihm zu Liebe, sich zu Liebe, den Kindern zu Liebe, hat sie geschönt, dekoriert, verstärkt und abgeschwächt?

Das hat sie gewiß, und wie denn nicht. Dennoch bleibt der Eindruck einer großen, strengen Ehrlichkeit, eines beharrlichen Willens zu aufrichtiger Chronistik, und das Bild dieser privaten, abgeschirmten Häuslichkeit mit einem gütigen, viel Schelm im Nacken hegenden und allenfalls durch stetigen Produktionszwang oft affektiv gereizten Genie als Hausvater, – dieses Bild ist gewiß nicht durch Verklärung oder Stilisierung gefälscht. Aber man muß bei Nutzung dieser Niederschrift wohl auch bedenken, daß Cosima manches nicht sah, nicht sehen konnte oder wollte. Da ist die Frau, der Wagner geschrieben hatte: „Nimm meine ganze Seele zum Morgengruße“: Mathilde Wesendonck, der er unendlich viel verdankt, und ihre Schuld zuletzt wird es gewesen sein, wenn die Beziehungen sich lockerten und verdüsterten. „Mein Leben“ verfälschte diesen Bund, denn Wagner diktierte Cosima, was sie – in diesem Falle – hören wollte. Und ähnlich verhält er sich bei der Kommentierung der späteren Alltags-Begegnungen mit den Wesendoncks, Cosima notiert mit Fleiß, daß „Frau Wesendonck“ (so apostrophiert sie sonst keine der Näherstehenden) ihm, wie er jetzt erkenne, nie eigentlich wirklich etwas bedeutet habe: alles verstiegene, produktionssteigernde Schwärmerei des irrenden Künstlers. Und auch Minna, die leidüberhäufte und mannigfach geprüfte Partnerin der ersten Ehe, erfährt in dieser Fassung keine Gerechtigkeit. Wagner ist ein echter Mann auch insofern, als er der starken Frau gegenüber konfliktscheu ist und den klugen Weg des schweigenden Besserwissens geht.

Schließlich Judith Gautier. Man kennt die leidenschaftliche Affaire Wagners mit der dreißig Jahre Jüngeren im ersten Festspielsommer 1876, die Briefe sind erhalten (und der Bayreuther Bader hat sie befördert). Cosima scheint nicht einmal die Anwesenheit der Rivalin bemerkt, scheint nichts von ihr gewußt zu haben. Oder aber sie schweigt bewußt. Denn ihre Sensibilität hat sie schon sieben Jahre früher, als Judith noch die Ehefrau von Catulle Mendès war, irritiert reagieren lassen: „Sie ist sehr merkwürdig, so ungezogen, daß es mich förmlich verlegen macht, dabei gutmütig und schrecklich enthusiastisch. Sie zwingt förmlich Rich., aus der Walküre und aus Tristan zu spielen und zu singen." Cosima aber weint dabei (16. VII. 1869). Am nächsten Tag: „Wie seltsam kommt mir die geräuschvolle Begeisterung vor! Die Frau spricht alles aus, was ich im tiefsten Herzen glaube; daß sie es aussprechen kann, macht sie mir fremd."

Das Tagebuch des Jahres 1876 aber erwähnt „die Frau" erst, als die Wagners längst in Sorrent sind, und Judith wieder in Paris.

X. Die Summe

Dieses Buch ist keine private Chronistik zum Familiengebrauch. Kein Journal intime mit Skandal-Ruch. Keine Annalistik für Spezialforschung. Dieses Buch ist ein Kosmos, und niemand sollte meinen, das Neunzehnte Jahrhundert zu kennen, der diese Seiten nicht gelesen hat. Denn Wagner, in Größe und Schwäche, ist des Neunzehnten Jahrhunderts legitimstes Kind, als Revolutionär und Bürger, als Künstler und Patriot, als Organisator, Gründer und Publizist. Zu schweigen von dem Musiker, dessen Genietat freilich einer Entdeckung nicht mehr bedarf. Da aber sein Genie nicht unbefangen aus den Umständen eben dieses Jahrhunderts abgeleitet werden kann wie seine persönlichen Eigentümlichkeiten, Schwächen und Makel, sind eben sie es, die als Symptome auffallend und aufregend sind: Auch in seinen Defekten ist er der radikale Exponent seines Zeitalters: Hurrah fürs Militär und Nieder mit der Frauenbewegung, Pfui über Juden, Jesuiten und Journalisten und Romanen, pereat Parlamentarismus und Sozialisten, und über allem der Traum vom Reich. Es lohnt, das mitzuerleben.

Der aufgeklärte Sachse, die gebildete Französin, sie waren dem Aberglauben in kurioser Hörigkeit verbunden. Zeichen wurde in dem gleichen Maße Vertrauen geschenkt wie sie dieses Vertrauen enttäuschten. Cosima zumal in ihrer exaltierten Frömmigkeitshaltung ergänzte ihre metaphysischen Bedürfnisse durch einfältige Ängste. Da sitzen sie zusammen am 16. September 1870, Cosima, Wagner und Richter. Die Männer verlassen immer wieder das Zimmer:

„ich erfuhr dann, daß fünf Fledermäuse in R.'s Stube gewesen, alles hatte sich gefürchtet, und R. wollte mir davon nichts sagen, weil er weiß, daß ich in diesem Bezug abergläubisch bin. Es hat mich erschrocken, wie ich es erfahren habe, dann, mich fassend, habe ich gebetet, daß, was auch für ein Unheil mir drohen möchte, ich meine Aufgabe als Christin, als Weib, als Mutter erfüllen möchte."

Das Gebet, man darf es schlicht feststellen, ist erhört worden.

Wer hingegen heute im Bayreuther Festspielhaus sitzt, wird gelegentlich ein winziges blitzewerfendes Flugtier hoch oben durch den Bühnenraum flimmern sehen: Fledermaus, die Scheinwerfer reflektierend und durch Wagners reiches Orchester vom Schnürboden aufgeschreckt. Der Hausmythos sagt dann, es sei des Meisters Geist, der da flattere. Auszuschließen ist das nicht, er war ja auch ein Zauberer. Die Hausmeinung aber deutet die Fledermaus als gutes Zeichen.

So hat sich manches gewandelt.

Nachbemerkung 1977

Zu Abschnitt IX.: Wenn Cosimas Tagebuch nichts zu berichten weiß über die leidenschaftliche Affaire Wagners mit Judith Gautier während des Festspielsommers 1876, dann hat sie entweder nichts gewußt, und das hieße: Wagner lebt eben auch noch ein Leben außerhalb dieser so absolut sich gebenden Bindung; oder aber Cosima verschleiert schweigend, und das hieße: der dokumentierende Wert des Tagebuchs muß sich zumindest gelegentlich eine Relativierung gefallen lassen. Band zwei liefert nun die Antwort auf solche Zweifel. Unter dem 12. Februar 1878 notiert Cosima:

„Das Leid, vor welchem mir bangte, blieb nicht aus; von außen brach es herein! Gott helfe mir! . . . Schmerz, du mein alter Geselle, kehre nun wieder ein und wohne bei mir; wir kennen uns beide, wie lange willst du jetzt bei mir ausharren, treuester, einzig sichrer Freund? Läutre mich nun, mach mich deiner wert, ich fliehe dich nicht, wann aber bringst du den Bruder? . . . Es ist herrliches Wetter, R. kann ausgehen . . .".

Anderthalb Jahre später ist es also ans Licht gekommen, und mit Inbrunst nimmt Cosima die Chance wahr, den Fehl des anderen in eigene Leidenswollust umzumünzen. Mithin hat damals nicht das Tagebuch getäuscht, – sondern Wagner. Zwei Tage vorher, am 10. Februar 1878, hat Wagner mit einem Schlußwort der kühlen Distanz den Liebesbriefwechsel mit Judith unvermittelt abgebrochen und die weitere Korrespondenz mit delikater Wendung – Cosima überlassen: s. Gregor-Dellin und Mack im Kommentar zur Stelle.

Zu Abschnitt X: Der „Traum vom Reich" kollidierte hart mit der Wirklichkeit von Bismarcks Politik, und Band II bekundet die große Verbitterung des ernüchterten Hegemonial-Schwärmers.

(Der Artikel führte in einer dritten Anmerkung eine Reihe von Corrigenda auf, – da sie inzwischen von den Herausgebern übernommen worden sind, erübrigt sich hier im Nachdruck ihre Wiederholung: sie wirkte sonst bloß als fade Demonstration der Besserwisserei.)

Bayreuth nach hundert und einem Jahr

Zu Richard Wagners ‚Ring' und seiner Szene

Kinder, macht Neues!
R. W.

I. Das immergrüne Skandalon

Die Franzosen und Wagner. Ein heikles, von Sentiments und Ressentiments reich besetztes Thema. Sie haben ihn hart mitgenommen: „Was wird Europa von uns denken, und was wird man in Deutschland von Paris sagen? Diese Handvoll Rüpel bringt uns alle miteinander in Verruf!" So ein französischer Dichter – nicht über Patrice Chéreau und Pierre Boulez und ihre Helfer, nicht über den „Ring" des Jubiläumsjahres 1976, sondern über den Skandal, den Paris der „Tannhäuser"-Aufführung bereitet hat im März 1861. Und der empört-beschämte Kritiker ist Baudelaire.

Die drei Pariser Vorstellungen waren in der Tat auf ihre Weise denkwürdig. Nach 164 Proben endlich die Premiere vor erlauchtem Publikum, der Hof, die Aristokratie, die Diplomatie und Politik, dazu die große Kritik, – und die Kavaliere des Jockey-Clubs, die ihr Ballett haben wollten und es nicht bekamen.

„Auf dem Wege vom Diner zur Oper hatten sie sich in einem Waffenladen in der Opernpassage alle irgend auftreibbaren Jagdpfeifen und ähnlichen Instrumente gekauft, mit deren Hilfe sie alsbald nach ihrem Eintritt auf die unbefangenste Weise gegen das verhaßte Werk manövrierten (. . .) Bis an den Schluß begleiteten Pfeifen und Flageolets jeden Applaus des Publikums."[1]

Der Sänger Niemann, der den Titelhelden gab und sich auf

solche Weise um seinen Glanz gebracht sah, schleuderte voll Ingrimm seinen breitrandigen Pilgerhut ins Publikum (und entschuldigte sich dann mit ausladender Geste vor dem Kaiser). Genaueres über diese Paris und nicht nur Paris lange erregende Sensation kann man erfahren in Malvidas von Meisenbug „Memoiren einer Idealistin" und in Baudelaires „Richard Wagner et le Tannhaeuser à Paris", auch Wagner hat sich geäußert in einem ausführlichen „Bericht" vom 27. März 1861, dann später in „Mein Leben".

Die Bilder gleichen sich. In Bayreuth verteilte 1976 vor dem Festspielhaus ein Spender Trillerpfeifen, und sie wurden in der Neu-Inszenierung des „Rings" rüstig genutzt. Die Emotionen im gespaltenen Publikum steigerten sich am Ende über verbale bis zu körperlichen Tätlichkeiten. Wieder hatte Frankreich zugeschlagen, wieder war die Welt geteilt in die, die Recht haben, und in die, die auch Recht haben, so daß jede Partei der anderen schlankweg die Daseinsberechtigung absprechen muß.

Wagner, ein deutscher Fall, ewig Unruhe auslösend und die Menschen polarisierend. Daß ein Komponist verkannt, daß er ignoriert wurde, daß er arm starb und krank, daß man den großen ablehnte und einen minderen favorisierte: das hatte es immer schon gegeben. Daß aber einer durch sein Dasein und Werk, sein Auftreten und seine Musik die Menschen magisch zur Parteinahme nötigt bis hin zur baren Hysterie der Vergötterung oder Verteufelung; daß er, nachdem die Wissenschaft von der Musik und ihrer Geschichte keine Zweifel mehr hat an dem Genie dieses Mannes und seines Orchesters und seiner die musikalische Moderne begründenden Bedeutung, – daß er, nunmehr vierundneunzig Jahre tot, immer noch den Streit leidenschaftlich von Grund aufwühlt um rechte und falsche Kunst: das ist ein staunenswertes Ereignis, dem keines vergleichbar ist in der Geschichte des Geistes und der Künste. Ein Ereignis, das die Menschen zu zwingen scheint, sich zu entscheiden. Das mag absurd sein, es gibt Beispiele genug die zeigen, daß es vor Kunstwerken auch ohne persönliche Entscheidung abgehen, daß man von ihnen auf angenehme oder mäßige Weise oder gar nicht affiziert sein kann: Wagner erlaubt dergleichen Indifferenz nicht, duldet nicht die Lauen.

Der Enkel Wolfgang, selbst längst Experte in Sachen der „Ring"-Inszenierung, hat das bedeutende Datum des hundertjährigen Festspieljubiläums zum Anlaß eines Wagnisses genommen. Dafür gebührt ihm Respekt. Er hat den „Ring" Pierre Boulez anvertraut, dem Komponisten und Dirigenten der kühlen Konstruktion, dem hochintelligenten Artisten; ein rationaler Grübler, nicht anders als der junge Patrice Chéreau, dessen Kunst einer sensibel-intelligenten mise-en-scène bisher nur auf der Sprechbühne brilliert hatte. Ein Wagnis, und ein geschickter Schachzug dazu: denn schwerlich ließ sich der internationale, weltumfassende Charakter von Wagners Werk eindrucksvoller demonstrieren als daß man die Zentenarfeier von des Meisters monumentalem Festspiel-Unternehmen zwei Vertretern jenes Landes anvertraute, das er zeitlebens und zunehmend mit Gefühlen der Abneigung, ja Feindschaft bedacht hat (darin von der Halb-Französin Cosima heftig unterstützt). Keine deutsche Angelegenheit also 1976, schon eher eine europäische oder doch eine der Welt, und so hätte es Wagner eingeleuchtet. 1876 war unter den erlauchten Gästen immerhin doch nicht nur der deutsche, sondern auch der Kaiser von Brasilien, zu schweigen vom Khediven von Ägypten.

II. Tradition des Protestes

Wagner begann als Rebell, es gäbe den „Ring" nicht (oder gäbe ihn nicht wie er ist) ohne das Jahr 1848. Die Rebellion gegen den Meister, gegen sein Werk, gegen den maßlosen Anspruch dieser monumentalen Einheit von Person und Sprache und Musik und Aufführung, sie gehört zu ihm als Teil der enormen geistigen Energien, die er aufrührt.

„Das deutsche Volk hat mit dieser Affenschande nichts gemein, und sollte es an dem falschen Golde des ‚Nibelungenringes' einmal wahrhaftes Wohlgefallen finden, so wäre es durch diese bloße Tatsache ausgestrichen aus der Reihe der Kulturvölker des Abendlandes": dieser Satz, der sich dementiert weiß durch die Geschichte, wurde hundert Jahre vor Chéreau-Boulez geschrieben und stammt aus der Feder des schärfsten Wagner-Gegners unter den Wiener Kritikern: das war nicht Hanslick, das war Ludwig Speidel (der seine bedeutenden Verdienste als Meister des Feuilletons hat).[2]

Je mehr das Werk, insbesondere der Gigant „Ring" sich souverän als Kunst durchgesetzt und behauptet hat, desto heftiger richten sich peinliche Rechthaberei und empörter Zorn gegen die jeweiligen Inszenierungen, – bis hin in unsere Gegenwart:

„Mit steigender Besorgnis beobachtet jeder Wagnerkenner die Entfremdung der Werke von den eigentlichen Absichten ihres Schöpfers Richard Wagner. Mehr und mehr sind sie der Willkür von Spielleitern ausgesetzt, die sich um die Vorschriften Wagners nicht kümmern und ohne jegliche Ehrfurcht nur den Ehrgeiz haben, ihr eigenes Licht leuchten zu lassen. Ihr eigenmächtiges Vorgehen rechtfertigen sie mit dem Hinweis auf die Forderungen des ‚Zeitgeistes', eines Begriffes, über den bei den heutigen chaotischen Zuständen überhaupt keine Klarheit besteht. Was sollen auch die weltweiten und ewigmenschlichen Ideen der Wagnerischen Dramen mit diesem ‚Zeitgeist' zu tun haben?"

Da ist die Antwort leicht gegeben: Wenn sie „weltweit" und „ewigmenschlich" sind, die Ideen in Wagners Dramen, dann eben haben sie ja aufs innigste zu tun mit dem jeweiligen Zeitgeist. Die empörte Frage aber stammt aus einem „Aufruf" des Jahres 1953 und erinnert daran, daß ja nunmehr das inszenierte Wagner-Werk sich in einem Zweifrontenkrieg behaupten muß: nicht mehr nur gegen Wagners Feinde, sondern mehr noch und empfindlicher gegen seine Freunde. Will sagen, gegen jene Partei, für die Wagner nicht Musik ist und Drama und ein Kosmos von Ideen, Gefühlskräften und oft verwirrenden und verwirrten Gedankenspielen, sondern Glaubensgut, Religion, Ideologie. Es läßt sich nicht bestreiten, daß Wagner diese seine Partei der Wagnerianer mitbegründet hat, denn er meinte sie, Feinde ringsum, zu brauchen. Ebensowenig ist zu bestreiten, daß er mit ihnen eigentlich nicht viel anfangen konnte und sie allenfalls milde gelten ließ.

Der Wirbel um die Inszenierung des Jubiläumsjahres hat vergessen lassen, daß Bayreuth in seiner älteren und jüngeren Geschichte schon unter ähnlichen Stürmen erbebte, aber es wankte nicht. Die französische Version 1976ff. ist immerhin die fünfte „Ring"-Inszenierung nach dem Krieg, das sagt sich leicht und bedeutet doch ein gewaltiges Maß an inszenatorischen Energien angesichts der besonderen Bayreuther Arbeitsbedingungen mit der notgedrungen knappen Probenzeit. Fünf Mal jeweils vier Dramen, das sind zwanzig Neuinszenierungen (nicht zu reden von den übrigen wechselweis sich ablösenden neuen Titeln). Da ist die „Ring"-Arbeit Wieland Wagners von 1951 und 1965: strenge Abstraktion, puristische Materialfeindschaft, radikale Konzentration auf Person, Gerät, Geste; Verinnerlichung der Aktion, die sich verflüchtigte schließlich im Dämmerdunkel. Ein organischer, historisch notwendiger Gegenschlag zur stoffprunkenden Üppigkeit der Aufführungen früher und nationalsozialistischer Zeit. Dann 1960 und 1970 Wielands Bruder Wolfgang, dinglicher und plastischer, denn er „betont die Architektur des Bildes". Das eine wie das andere hat Unwillen, Widerspruch, hat wütenden Protest ausgelöst, und zu Protesten kam es auch anläßlich der Neuvorstellung der anderen Musik-Dramen. Insbesondere reagiert man verstört auf Momente, in denen gesellschaftskritische und sozialpolitische Tendenzen vermutet werden. Hier liegt auch der Hauptwiderstand gegen das von Chéreau entworfene Spiel.

„Wenn man aber die Bühnenbilder ohne Voreingenommenheit zu deuten versuchte, so mußte man sich fragen: Quo vadis? Denn es erschienen Figuren auf der Bühne, von denen man nicht wußte, ob es sich um Mitglieder des SSD in ‚Ausgehuniform' handelte (. . .). Das Ganze wurde schließlich peinlich und auch für die Veranstalter unerfreulich, als sich die ,gesellschaftspolitische' Deutung dieser Wagner-Aufführung in der Schlußszene in penetranter Form aufdrängte": so ähnlich hörte man's auch zu Chéreau, aber der Zorn ist älter, er gilt Götz Friedrich und seinem „Tannhäuser" von 1972 (dem Jahr des Zentenargedenkens der Grundsteinlegung). Der Kritiker aber (in der „Welt am Sonntag" vom 30.7.72), das „Quo vadis?" verrät ihn, muß gestandener Altphilologe sein, und in der Tat, es handelt sich um Dr. Franz Josef Strauß. Übrigens ist die Zeit, um mit einer Bühnenfigur nicht von Wagner zu reden, wahrlich ein sonderbar Ding. Nach fünf Jahren erfreut sich dieser „Tannhäuser" herzlicher Zustimmung, der Protestlaut ist auf ein Pflichtminimum geschrumpft.

III. Recht und Unrecht der Regie

Wer eine Dichtung liest, wer ein Kunstwerk erfährt vom Bewußtseinsstand dessen aus, der sie geschaffen hat, tut viel. Aber er tut nicht genug. Jedes Kunstwerk das irgend diese Bezeichnung verdient, provoziert im betrachtenden Partner Energien, die sich speisen aus den Erfahrungen, Gesichten, Erlebnissen, die Menschen in der Zeit seither gemacht haben: seit Homer, seit Phidias, seit dem „Nibelungenlied" und der „Edda", seit Shakespeare, seit Bach, seit Goethe. Die scheinbar vermessene Formel, die da erklärt, daß Spätere ein Kunstwerk ,besser' verstehen können als dessen Autor es verstanden hat, ist seit Dilthey Allgemeingut der interpretierenden Hermeneutik. Die Frage an den Regisseur und den Dirigenten eines Musikdramas ist also nicht, ob er Neues wagen dürfe (statt, was möglich wäre, etwa Wagners Eigen-Inszenierung zu rekonstruieren und konservieren, Cosima hat es peinlich so halten wollen, andere fordern dies Verfahren noch heute); die Frage ist, inwieweit sein Neues, sein ,Mehrwert' an Eigenerfahrung dem Erlebnispotential des jeweiligen Werkes immanent ist. Mit anderen Worten: Das Regisseur-Theater, das sich etwa seit Leopold Jessner in Deutschland und Europa immer wieder vorgedrängt hat (im Gegensatz zum Autor-Theater), hat sich gegenüber einer Frage zu behaupten, mit deren Beantwortung sein Anspruch steht und fällt: Ist, was der Eigen-Wille des Regisseurs aus einem Stück macht, die Entbindung des diesem Stück eigenen Potentials, das latent auf seine Entdekkung und Realisierung wartete? Oder aber setzt sich der Regisseur kraft eigener Machtvollkommenheit schnöde an die Stelle des Autors, ihn lediglich als Hülse nutzend und ihn also mißbrauchend zur Demonstration seines durchaus andersartigen Schöpferwillens?

Es geht also um das fundamentale theatergeschichtliche und theatralische Problem, dessen Abkürzungschiffre „Hamlet im Frack" heißt.

Um ganz dicht an das Bayreuth 1976/77 heranzugehen: Ist Wotan im Bratenrock eines bürgerlichen Großindustriellen mehr als ein flottes Aperçu, mehr als eine schicke Arabeske? Ist er noch Wotan? Ist Walhall als Wittlsbacher Mischbau oder als „Villa Hügel", sind Alberichs Bergwerk und Mimes Schmiede als Werkstätten des industriellen Zeitalters noch die Stätten weltbewegender Vorgänge? Ist er erlaubt, den Mythos zu verdinglichen, gewissermaßen zu privatisieren dadurch, daß man ihm das Kolorit einer familiär-vertrauten Epoche, das Air des bürgerlichen Zeitalters ummäntelt? Oder ist es umgekehrt etwa so, daß eben durch seine Versetzung ins Gewohnte, in den räumlichen Bereich eigener Lebenserfahrungen, in das Kleid das wir heute tragen, das mythische Moment erst eigentlich erkennbar, erst eigentlich faßbar wird?

Fragen an Chéreau und Boulez, an Wolfgang Wagner den Enkel und Statthalter.

IV. Das Gold des Rheines und des Kapitals

„Rheingold", vierte Szene. Wotan hat dem übertölpelten gefesselten Alberich „mit heftiger Gewalt" den Ring entrissen. Nun ist Alberich wieder arm wie zuvor:

„Das ist der Lauf der Welt. (. . .) Als die Mächte der Liebelosigkeit und der Habgier unsere eigenen, selbstsüchtigen kapitalistischen Systeme errichtet hatten, getrieben von nicht erkennbarem Eigentumsdenken, und die Armen ausbeuteten, die Erde verunstalteten und sich als weltweiter Fluch auch den Edelmütigen und menschenfreundlich Gesinnten aufzwangen, da hatten Religion, Gesetz und Intelligenz, die selbst niemals Systeme solcher Art entdeckt hätten, da sie auf Wohlfahrt, Sparsamkeit und Leben anstatt auf Korruption, Verschwendung und Tod ausgerichtet waren, dennoch keine Skrupel, sich durch Betrug und Gewalt dieser Kräfte des Bösen zu bemächtigen unter dem Vorwand, sie für das Gute zu nutzen."

Die Rede ist von Alberich, der das Gift des Kapitalismus in die Welt brachte. Von Wotan, dem Repräsentanten der einst tugendhaften Gewalten, der, von diesem Gift angesteckt wie von einem Bazillus, seinerseits korrumpiert und zur Ausbeutung des Ausbeuters getrieben wird.

Eine gesellschaftspolitische Interpretation dieser Szene. Sie stammt aus dem Jahre 1898 (1896 hatte Cosima den „Ring" zum ersten Male neu – das heißt penibel nach dem zwanzig Jahre alten Modell – einstudiert), ihr Verfasser ist der Musikkritiker George Bernard Shaw, sein Buch heißt „The perfect Wagnerite" und wurde 1908 erstmals ins Deutsche übersetzt.[3]

Überlegungen dieser Art – und Shaws Kommentar begleitet mit ihnen die ganze Tetralogie, nirgend freilich treffen sie so präzise wie im „Rheingold", was leicht erklärlich ist – können den perfekten wie imperfekten „Wagnerite" nur dann irritieren, wenn er sich selber bislang von dem Versuch einer Analyse des „Rings" dispensiert wußte. Der Dresdner Kapellmeister des Jahres 1848 war prall gefüllt mit sozialromantischen Ideen, der Gesprächspartner Bakunins und Röckels, der Leser von Proudhon's „und anderer Sozialisten Lehren" („Mein Leben") wetterte vor dem Dresdner Vaterlandsverein – lauter Linke, der Beifall war groß – gegen den „dämonische(n) Begriff des Geldes", der einst, damit die „volle Emanzipation des Menschengeschlechtes" sich erfüllen kann, „von uns weichen (wird) mit all seinem scheußlichen Gefolge von öffentlichem und heimlichem Wucher, Papiergaunereien, Zinsen und Bankiersspeculationen". Zugleich verwirft er den Kommunismus als sinnlos und abgeschmackt, das aber hilft nicht viel, die Intendanz der Oper bestraft ihn prompt durch Absetzung der zugesagten „Rienzi"-Inszenierung. Der steckbrieflich gesuchte Flüchtling indes sagt sich bald von der Revolution los, die seine findet auf dem Theater statt.[4] In Dresden aber hinterläßt er Schulden, die – laut Robert W. Gutman – ein mehrfaches seines stattlichen Jahresgehaltes betragen: Der Haß auf das dämonische Geld hatte auch seine sehr privaten Motive.

Daß sozialistische, anarchistische, sozialrevolutionäre Impulse an der Konzeption des „Rings" also tätig mitgewirkt haben, ist überhaupt nicht zu bezweifeln, und die Assoziation Walhall-Wallstreet ist mehr als ein Wortspiel. Joachim Kaiser konstatiert zu Recht: Hätte man sich die Mühe gemacht, Überlegungen wie die Shaws zu ihrer Zeit zu prüfen und zu würdigen,

„dann wäre einem der größten Genies der Operngeschichte, wär9 dem letzten modernen Tragiker einiges erspart geblieben. Sowohl das nazistisch-hitlerische Mißverständnis wie auch das, nur wenig intelligentere, demokratisch-antiwagnerianische Mißverständnis wäre unmöglich gewesen, wenn die Zuhörer und Zuschauer mit Shaw zu begreifen gelernt hätten, statt sich ohne Shaw bloß berauschen, aufputschen oder mythologisch langweilen zu lassen".[5]

(Übrigens haben die Nationalsozialisten irgendwann denn doch geahnt, was ihnen da im „Ring" vorgespielt wurde: die gewaltigste Anklage gegen Gewalt, die machtvollste Verurteilung der Macht, der flammende Untergang der gewissenlosen Täter. So wurde denn die Aufführung des „Rings" 1942 verboten.)

Kapitalismuskritik im „Ring“, die Feststellung sollte niemanden mehr irritieren. Es bleibt aber zu fragen, ob eine solche Feststellung die Versetzung der Szene in das Ambiente des modernen Kapitalismus, in die Folge-Ära der industriellen Revolution rechtfertigt. Um sehr einfach zu antworten und sehr vereinfacht: das ist eine Frage der konsequenten Durchführbarkeit. Bloß aufgesetzt, wird als Kostümierung und Gag wirken, was, beharrlich und logisch entfaltet, aus sich selbst heraus überzeugt. Richtigkeit durch Evidenz.

Man hat Chéreau den Vorwurf gemacht, daß er durch die Verbürgerlichung der Szene dem Mythos den Schauer des Mythischen, die Dignität des Erhabenen nähme. Der Gedanke also solcher ist korrekt, der Mythos büßt ein von seiner archetypischen Wucht, wenn er auf menschlich-privates Maß reduziert wird, Hamlet im Frack mag gehen, Prometheus im Frack wäre nur albern, wäre peinlich.

Überlegungen, die, auf den „Ring“ angewandt, zu der scheinbar naiven Frage zwingen: Liefert Wagner denn in dieser Tetralogie einen Mythos? Zwar kann man das Wort in der zuständigen Literatur allenthalben lesen und die Redner führen es leichthin im Munde, damit aber ist ein Mythos noch nicht gegründet. Es soll hier nicht hinauslaufen auf eine religionsgeschichtliche Untersuchung und nicht auf eine umfassende oder ausklammernde philosophische Definition, doch wird man eine vorläufige Auskunft erhalten durch die Verlegenheit, in die auch ein Kenner des „Rings“ gerät, den man zum Nacherzählen des ‚Mythos‘ auffordern wollte. Daß der freieste Wille sich verstrickt; daß er im Bestreben, sich wiederum zu befreien, noch tiefer verstrickt wird; daß Gesetz und Ordnung nicht nur notwendige sondern auch knebelnde Kräfte sind; daß der geballte gute Wille nicht schützt vor Betrug und Betrügen; daß die Götter, um Götter zu bleiben, sich den Menschen erschaffen und ihn belasten müssen mit Aufträgen, die sie nicht ausführen können, wollen sie Götter bleiben; daß schließlich die gewollte Selbstaufhebung Raum schaffen kann für neuen Anfang –: das ist gewiß richtig, aber es ist auch sehr allgemein und abstrakt. Und Mythen sind zwar von allgemeiner Bedeutung, das ist ihr Wesen, sind aber in der Regel stofflich klar organisiert und in ihren einfachen Formen einfach nachzuerzählen. Die Geschehnisse um Tantalus oder Ödipus, Jason und Herakles und Niobe mögen gelegentlich schwer deutbare Geschichten sein, als ‚Geschichten' sind sie einfach.

Die Geschehnisse im „Ring" hingegen sperren sich der schlichten Nacherzählung, eben weil sie schlicht nicht sind. Da sind immer wieder Risse und Sprünge, da sind Wiederholungen und Widersprüche die Menge, da sind Ungereimtheiten und Unstimmigkeiten allenthalben. Das erklärt sich leicht aus der Entstehungsgeschichte, die sich hinzog über mehr als ein viertel Jahrhundert, eine lange Zeit, innerhalb derer Wagner sich mannigfach gewandelt hat in Anschauung, Erfahrung und Kenntnissen.

Die mangelnde Geschlossenheit des „Rings" ist als Kunstfehler indessen auch ein Vorzug. Das Im-Perfekte hat stimulierende, Zweifel nährende, Unruhe wach haltende Energie und trägt sein Teil dazu bei, die magische Anziehungskraft dieses Spektakels zu mehren. Was alles freilich hinfällig wäre, hielte nicht die Musik das Ganze zusammen. Eine Musik, die zwar zwischen 1853 und 1876 auch wesentliche Entwicklungen hin zur Verfeinerung der kompositorischen Technik durchmacht, die in der „Götterdämmerung" die chromatischen Künste des „Tristan" und die kontrapunktischen der „Meistersinger" aufgenommen und im übrigen den Horror vor der großen Arie und dem Ineinanderklingen der Stimmen, auch den vor dem Chorgesang abgelegt hat; die sich aber, aller nachweisbaren Entwicklung und Verfeinerung zum Trotz, doch nicht als ein aus Widersprüchen und Ungereimtheiten gewirktes Gebilde vorstellt, sondern als allesumarmende Gewalt.

Wer eilfertig auf mythische Größe in diesem Drama verweist, sei überdies erinnert daran, daß hier nicht Lichtgestalten verherrlicht, keine Heroen idealisiert, keine Gottheiten erhoben werden, und nur Unkenntnis kann vermuten, Wagners Werk glorifiziere die germanischen Götter- und Menschenwesen. Es beginnt mit Diebstahl (des Rheingoldes), es endet mir Mord und Selbstmord und Brand, und nirgend eine Antwort auf den ‚Sinn'. (Ein witziger juristischer Kopf unter dem Pseudonym Ernst von Pidde hat in einem Büchlein [1968] die Vorgänge des „Rings" verfolgt „im Lichte des deutschen Strafrechts": es kommt da ein teuflischer Katalog zusammen, keine der Hauptfiguren ist unbelastet, Verschleppung, Erschleichung, Totschlag, Blutschande, Anstiftung und Mord lösen einander ab und kumulieren, und wenn das Ganze auch ironisch gemeint und nicht ohne Humor gemacht ist, so steht dahinter doch die bittere Einsicht, daß dieser ‚Mythos' vor allem eines demonstriert: das Versagen von Gott und Menschen vor den selbstgesetzten sittlichen Normen.) Übrigens zog Shaw aus der ambivalenten Qualität des „Ring"-Sinnes die Konsequenz auf seine Weise und nicht ohne Gewaltsamkeit: Er deklarierte die „Götterdämmerung" als eine Art Abweichung und sah (oder hörte) sie als „Große Oper".

Es ist wohl erlaubt, hier den anstrengenden und von Pathos nicht freien Begriff des „Mythos" in Frage zu stellen. Um die exemplarischen, die stilisierten und überhöhten, auf Modell und archetypische Verhaltensweisen hindeutenden Vorgänge des „Rings" zu verstehen, bietet sich sehr wohl auch der Begriff des Metaphorischen, des Symbolischen, bietet sich der Begriff der Allegorie an. So hat schon Shaw das „Rheingold" genannt (S. 53), so argumentieren auch Chéreau und Boulez in dem langen Gespräch mit Carlo Schmid und den dazugelieferten Kommentaren.[6] Auch die Begriffe der Parabel, des Exempels sind hier zur Stelle.

Der Mythos, auf den Wagner sich fraglos bezieht und den er fraglos heranzieht, mag sehr wohl für ihn nur eine Form der Einkleidung von Geschichte und Geschichten gewesen sein. Aber unterstellt, er begreife auch sich selbst hier als Mythensetzer: so ist doch gewiß, daß auch Mythen von überzeitlichem Rang das Antlitz ihrer Zeit tragen, daß sie in solchem Sinne nicht ‚zeitlos' sind in der Faktizität ihrer Vorgänge. „Jede Mythologie ist aus einer bestimmten Epoche" (Chéreau). Somit ist ihr grundsätzlich nicht verwehrt, auch im Gewande ihrer Epoche aufzutreten. Wer also Wagner als Mythengründer betrachtet, muß auch erwägen, seinen Mythos in der Form des späten Neunzehnten Jahrhunderts auftreten zu lassen, – was um so einfacher angeht, je weniger man sein Werk mit dem Anspruch des Mythos belastet. Dabei ist freilich zu bedenken, daß Wagner wiederum, um sich darzustellen, den „Umweg" des germanischen Mythos wählte (Chéreau). Aus solchen Erwägungen können Unstimmigkeiten, Inkongruenzen erwachsen, und sie sind Chéreau nicht erspart geblieben.

VI. Stilbruch, Sinnbruch, Vermittlungsbruch

„Die Walküre", Zweiter Aufzug, Erste Szene. Die Bühnenanweisung sagt: „Wildes Felsengebirge", und: „Wotan, kriegerisch gewaffnet". Das verwirft Chéreaus Regie, vielmehr ist die Szene im großbürgerlich-prunkenden Chefzimmer von Walhall, darin der große Konzernherr, dunkel, graue Weste. Das mag man begründen können, nun aber vor ihm Brünnhilde: sie überrascht durch Korrektheit, blitzt entsprechend der Szenenanweisung „in voller Waffenrüstung". Und in dieser schmettert sie nun ihr metallenes „Hojotoho!": ein Musterfall des Deplacierten, man erlebt das indigniert, wie der père noble sie beordert zum „brünstigen Streit", und diese Zwangsvereinigung des Unvereinbaren läßt sich kaum anders verstehen denn als laute Verabschiedung der Tochter im klirrenden Faschingskostüm vom arbeitsüberlasteten großbürgerlichen alten Herrn.

Oder: „Götterdämmerung", Erster Aufzug, Zweite Szene: Auftritt Siegfrieds in der Halle der Gibichungen am Rhein. Er ist sportlich gekleidet, warum nicht, eine Rheinfahrt ist eine sportliche Tat. Gunther macht seinen Rang kenntlich dadurch, daß er Smoking trägt. Auch das geht hin, ein Smoking kann

Symbolkraft haben. Hagen indessen trägt einen ausgebeulten Anzug von der Stange und gibt sich mürrisch als kränkelnder Hausmeier mit Faktotum-Privilegien: Leibwächter, Berater, Aufwärter. Mit magischer Kraft hat er Siegfried herangezwungen, den er braucht für seinen Welteroberungsplan, hat, ihn, den er nicht kannte, erkannt; und nun der natürlich zu Fuß und lässig ankommende Siegfried, „indem er an Hagen das Roß übergibt“:

> Wohl hüte mir Grane:
> du hieltest nie
> von edlerer Zucht
> am Zaume ein Roß.

„Hagen führt das Roß“. Er führt es natürlich nicht, da ist gar kein Roß, er trollt sich allein, aber warum geht er dann überhaupt von der Szene? So muß sich denn immer wieder der leidige Zustand wiederholen, daß der gesungene Text nicht koinzidiert mit der dargestellten Gestik, den vorgeführten Aktionen und Dingen. Das ist gerade für einen Regisseur wie Chéreau bitter, an dem zu Recht die Gabe der glänzenden Choreographie gerühmt wird, der Fähigkeit, den Sänger zu erlösen aus der Rampen-Pose und ihn leichtfüßig den Bewegungen anheimzugeben, die Text und Tun von ihm fordern.

Daraus resultiert ein Mischstil, der hier das realistisch-naturalistisch gesehene Detail grell meißelnd herausarbeitet, und da nach Nestroys Art den zauberischen Eskapismus zärtlich pflegt mit allerlei Feuer und Dampf und Spuk und fröhlichem Hokuspokus. Da werden Menschen auf gründlich quälende Weise erschlagen, ein Stich genügt nicht, es muß ein zweiter und dritter das Fleisch stoßend durchbohren und Blut muß fließen. Andererseits aber wird manch Zauber- und Magierwesen lustvoll vorgespielt, wo es zwar scheinbar hinpaßt (Donners Gewitter ist eine schöne pièce dieser Art), doch gehört es ja strikt zum Wesen von Wagners großer Tragödie, daß die Welten der Götter und Menschen und Schwarzalben zwar durch Machtdifferenz, nicht aber durch kategoriale

Scheidungen ihrer Realitäten getrennt sind. Sie setzen sich in ein und derselben Arena auseinander, darum eben geht es, und wenn die einen durch Illusionierungskünste und die anderen durch kruden Naturalismus auffallen (und sich die Grenzen gar noch überschneiden, Göttergewalt schlägt Alberich blutig den Ring-Finger ab), dann werden sie gewaltsam weiter auseinander gerückt als ihr schlimm-partnerschaftliches Spiel es zuläßt.

Das Prinzip Stilbruch ist freilich durchgängig und insofern nicht ohne Konsequenz; es mag sich sogar zum Konzept ernennen, unter Berufung auf die Diskontinuität, die mangelnde Einheitlichkeit des Werk-Kolosses. Schwierig jedoch steht es um einzelne Schlüsselszenen, von denen ich meine, daß sie durch Umdeutung ihre zentrale Position einbüßen.

Da ist allererst die am heftigsten angefochtene und in der Tat am meisten anfechtbare Regie-Idee Chéreaus. „In der Tiefe des Rheines" soll die erste Szene angesiedelt sein, – Chéreau indes baut ein gischtsprühendes Stauwerk auf. Wagner aber geht es um den Anfang der Anfänge, um das sich aus dem Abgrund des Es-Dur-Akkordes und seiner berühmten Ausfaltung ergießende Ur-Element des Wassers. Das „Wiegenlied der Welt" singe das Orchester hier, hat Wagner Cosima anvertraut, es geht um das Bild der Schöpfung vor dem Sündenfall, geht um die reine Demonstration der alles befruchtenden Ur-Materie Wasser. „Dies ist das goldene Zeitalter" (Shaw S. 27), auch so mag man es sehen, demnach also eine Zeit, „sie war so wenig als sie ist" (als Zeit der Menschen).

In diese von der törichten Unschuld, von den Rheintöchtern belebte Materie und ihren wertfreien, weil von jedem Nutzungsgedanken abgelösten Goldschatz bricht Alberich ein. Um den Preis der Liebe bemächtigt er sich der heckenden Potenz des Goldes, ‚läßt' es arbeiten als Kapital, – und erzeugt mithin als Spätzustand dereinst eben jene Wirklichkeit, mit der Chéreau einen Ur-Beginn markiert: das Stauwerk als Modell des industriellen Zeitalters. In der Tat, wer sich kapriziert hat auf Ansiedlung des Mythos in der Gründerzeit, der darf sich nicht den Urzustand in seiner Wildheit verstatten, nicht „Felsenriffe" und „Zackengewirr" in „den Tiefen des Rheins" dulden, er tilgt mithin ein Szenario, wie es vollkommen gedeckt wird von der archaischen Einfalt der Musik, dem einen Grundakkord, der aus sich heraus den Kosmos gebiert. Hier dementiert das Orchester das szenische Arrangement auf eklatante Weise, und wenn nicht Chéreau, so hätte Boulez es merken müssen. Ein Stauwerk ist ein Stauwerk und als solches ein Spätwerk und kein Urzustand.

Der Mißgriff ist folgenreich für den Zuschauer und damit die Inszenierung: er schafft Unmut und Zweifel.

Eben diese Szene aber liefert auch einen trefflichen Beleg für die intelligente Sensibilität, mit der Chéreau auf Wagner reagieren kann. Die Rheintöchter hat er vermummt als Hürchen in Toulouse-Lautrec-Roben. Wie das? Sie sind ja doch ehestens albern, mit Ausnahme der etwas gouvernantenhaften Floßhilde. Näher betrachtet aber sind sie derart kokett und auf Reizung erpicht, daß man sie Kokotten nennen kann, auch Siegfried wollen sie schließlich verführen. Übrigens aber wird ja, oft zitiert, dies Gewerbe das älteste der Welt genannt, und obwohl es dem von Wagner evozierten Urzustand vor aller Verschmutzung widerspricht, mag es hier sein Wesen treiben, – denn Wagner hat solcher Charakterisierung vorgearbeitet: Chéreau kann sich zu Recht berufen auf Frickas Ausfall gegen die Meermädchen (in der Zweiten Szene):

> Von dem Wassergezücht
> mag ich nichts wissen;
> schon manchen Mann
> – mir zum Leid –
> verlockten sie buhlend im Bad.

Das hat der Regisseur ernst genommen.

Chéreau denkt viel, denkt intelligent, denkt genau. Aber seine Regiearbeit läuft Gefahr, das Gedachte nicht zu transportieren in Sichtbarkeit, in die einleuchtende Geste, den überzeugenden Vorgang. Dafür zwei Beispiele:

„Walküre", Erster Aufzug, Zweite Szene. Hunding hat den unheimlichen Gast weitgehend durchschaut, zieht sich rüde zurück: „Dich Wölfing treffe ich morgen ... hüte dich wohl!" Wie er dieses „Wohl-Hüten" gemeint hat, demonstriert er an einer Geste, ebenso subtil wie dem Publikum unverständlich. Die Tür noch einmal öffnend, wirft Hunding dem Gast ein Tüchlein zu, kaum größer als eine Serviette. Das Publikum, wie immer wenn es ratlos ist, lacht. Was ist gemeint? Chéreau will zeigen: Hunding fühlt sich an das Gesetz der Gastfreundschaft nur in den Grenzen des Minimum gebunden. Als Decke für die Nachtruhe schleudert er dem auf dem Boden Kauernden die Mindestration zu. Das ist klug, aber der Gedanke wird nicht bildhaft überzeugend umgesetzt, und Chéreau hat das im zweiten Jahr 1977 korrigiert, – so wie er viele andere Stellen retouschiert und geändert hat. Hier war's zum Beßren (es fliegt jetzt eine Decke), anderwärts nicht.

Übrigens stört es empfindlich die Struktur der Personen-Beziehung, daß der Regisseur dem Großhäuptling Hunding eine Leibgarde beigibt. Hier wird wieder durch ein aktualisierendes Zuviel der äußren Szene die innere aus der Balance gebracht. Diese seine Leute, die seine Halle gespenstisch füllen, machen aus der strengen und schrecklichen ménage à trois, diesem für jeden der Beteiligten durchaus tödlich-tragischen Dreiecksspiel eine Menschenansammlung, die das streng-geometrische Gefüge aufhebt.

Höchst bezeichnend für die Diskrepanz von artistischer Regie-Intelligenz hier und ‚Intelligenz' der stofflichen Szene dort ist das Finale des „Rheingolds". Wotan, „wie von einem großen Gedanken ergriffen", faßt, so will Wagner, feierlich Fricka an der Hand, sie schreiten der Brücke zu, ihnen nach die andern Götter: Einzug in die Götterburg, wie jeder Einzugstermin ein Augenblick voll von Hoffnung und Plan: „Folge mir, Frau!/In Walhall wohne mit mir!" Loge verhöhnt schnell noch die beraubten Rheintöchter, und die „Götter lachen und beschreiten“ – unter dem Schlußterzett der Meermädchen – „die Brücke“.

Ein klares Bild: das der Vermessenheit. Götter, die sich verderben wollen, schlagen sich mit Blindheit. Hochsinnige Pläne zur endlichen Ordnung der Welt sollen von Walhall als dem Zentrum her ausgeführt werden, die verblendeten Götter packt Euphorie. Eben in dem Vorwissen Loges, des Außenseiters, in dem Vorwissen der Zuschauer („Ihrem Ende eilen sie zu, / die so stark im Bestehen sich wähnen“) ist der erregende Kontrapunkt zu dem unbeirrten Pathos des Göttereinzugs gesetzt, die Szene lebt von diesem Kontrast, schon wird die Fallhöhe der Verstiegenen ahnungsvoll abgemessen. Was macht Chéreau? Er zerstört wiederum die gespannte Balance, projiziert Loges Vision (und des Regisseurs Information) in die Szene und formiert, malerisch wunderschön, einen Reigen nach Art der Totentanz-Darstellungen mittelalterlicher Tafelbilder. Bleich, gequält, sich zäh sträubend, Blei in den Gliedern, stolpern die Götter, aneinandergekettet, ihrem Ziel zu, – sie, die doch so stark sich wähnen sollen. Da ist einmal mehr zugunsten eines flüchtigen Aperçus die stringente Bedeutung eines Auftritts vernebelt.

Ein letztes Beispiel für den Chéreau-Effekt des Zuviel-Denkens mit dem Ergebnis des Zuwenig-Vermittelns. Im „Siegfried“ geriert Wotan sich als die den Enkel fernlenkende Kraft. Der Jüngling soll Exekutor seines die Dinge wieder ins Lot rückenden Willens sein, so hat er ihn zu steuern, tut es als deus ex machina nicht nur sondern als deus machinarum in Mimes plötzlich durch Zauberwink gewaltig anwachsendem Schmiede-Betrieb; und tut es im tiefen Wald, da wo Siegfried den Drachen erschlug. Es rührt nun die Zuschauer sehr befremdlich an, wenn das Waldvögelein, dessen Sprache der Drachenbesieger versteht und das ihm das Leben rettet, ein Vogel im Käfig ist. In dieses Bauer singt Siegfried seine Fragen hinein, bis er schließlich das Gitterpförtchen öffnet, den gefangenen

Vogel fliegen läßt, damit er ihm den Weg zum Brünnhilden-Felsen weise.

Das Waldvögelein im Käfig kann dem Betrachter die Sprache verschlagen (und hinter Stäben flattert es dann wieder in Siegfrieds letzter Szene). Was soll's? Man denkt an eine frivole Caprice, die – vielleicht, aber warum? – ‚verfremdende' Funktion haben soll. In Wahrheit aber hat Chéreau konsequent und bedacht gehandelt. Den vom Gotte gelenkten Siegfried vorzuführen, wie er gewissermaßen am Seil des Weltgeistes gegängelt wird, schickt der Regisseur den Wanderer Wotan eigens zuvor auf die Bühne und läßt ihn das Waldvögelein in seinem Bauer an einen Baum hängen: Wotans weisende Kraft enthüllt sich hier, in Vogelgestalt wird er Siegfried aufklären, wird er ihn zu Brünnhilde führen.

Da aber dieser stumme Auftritt von Wagner nicht vorgesehen ist, verbirgt der Regisseur ihn scheu im Dämmer, und kaum einer hat Wotans Tun bemerkt. Da muß dann die Verwunderung über den Käfig in der Wildnis groß sein, und nichts ist dem Erfolg einer Inszenierung abträglicher als des düpierten Zuschauers irrlichternde Spekulation.

VII. Die großen Augenblicke

Das Genie dieser Inszenierung liegt im Detail. Chéreau führt die Sänger, er macht ihnen Beine, macht ihnen Arme, er gibt ihnen die Würde des Natürlichen. (Wenngleich er sie befremdlich oft von den Füßen nimmt, er haßt den aufrechten Gang, so kniet und fällt und liegt und robbt denn alles was Beine hat, als hätte es keine. Warum?)

Es gibt Momente in dieser Inszenierung, die von erhabener Großartigkeit, von zarter Intensität sind und deren vom Moment ausgehende Wirkung weithin strahlt. Dieser Regisseur weiß, was Körpersprache ist, er kennt die leisen Signale von Geste und Gebärde, er läßt in fragender Berührung Gunther noch einmal mit den Händen in Siegfrieds Gesicht lesen: was ist es mit diesem geliebt-gehaßten Manne? Oder der Abschied

Siegfrieds von Brünnhilde (im „Vorspiel“ der „Götterdämmerung“): „Zu neuen Taten, teurer Helde . . .“, sie entläßt ihn weil sie nie mehr getrennt sein kann von ihm, beschwört ergreifend und gewaltig die Totalität ihrer Liebe, ihrer Gemeinsamkeit, – Siegfried aber steht gerüstet abseits, seine Stimme ist bei der Geliebten, sein Sinn ergreift längst Besitz von den Reichen dieser Erde, der Blick geht in die verlockende Weite, in der das Weltkind umkommen wird.

Dann die erste Begegnung mit Gutrune. Wieder entnimmt Chéreau unvergleichlich behutsam und intensiv der Szene ihre innerste Wahrheit. Es ist nicht Hagens Zaubertrank, der Siegfried die Geliebte vergessen, Gutrune lieben läßt, der Trank ist nur Chiffre. Vorher schon verliert Siegfried sich in diese Frau, ergreift mit den Augen Besitz von ihr, und weil das bereits geschehen ist in weltverliebter Willkür, deshalb trinkt er den Trank.

Oder Wotan in der Zweiten Szene des Zweiten Aufzugs der „Walküre“, in dem profunden Monolog (denn die Partnerin Brünnhilde ist nur Katalysator). Er ahnt, daß ihm die Zügel entgleiten, spürt, daß sein Konzept zerstört ist, Fricka hat ihn an das ihn definierende Prinzip der Vertragstreue gebannt, nunmehr muß er den geliebten, den von Ehebruch und Blutschande bemakelten Sohn sterben lassen. Er spricht zu sich, eine Art Grundsatzerklärung und Vermächtnis, und Chéreau macht das sinnfällig, indem er Wotan mit sich selbst im Spiegel konfrontiert. Das mag nicht bestürzend originell sein, aber blitzhaft wird die unbarmherzig Wahrheit fordernde Funktion dieser Szene enthüllt, wenn Wotan die Augenklappe lüftet. Da soll nichts mehr kaschiert werden, schon gar nicht das Mal, das die Opferung des einen Auges anzeigt. Ein Opfer, dessen Frucht sich jetzt in ihrer Fragwürdigkeit zeigt: Was nützt alles Wissen, alle Weisheit der Welt . . .?

Wer schließlich die Szene der Todesverkündigung (Siegmunds durch Brünnhilde, Vierte Szene des Zweiten Aufzugs der „Walküre“) ohne Erschütterung an sich vorübergehen lassen kann, dem ist nicht zu helfen. Chéreau hat hier eine unvergleichlich erhabene Stimmung entfaltet, in einer Choreographie, die der Walküre Wissen mit der arglosen Naivität des Mannes zu einem trauervollen, statischen pas de deux verbindet. Initiationsritual, Todesbereitung, Opferkultus in einem; weißes Tuch zwischen ihnen in trennender und verbindender Gestik, Brautkleid und Leichenlaken zugleich. Ein großer Augenblick, und mehr als das.

VIII: Das Ende ein Orakel

Finale der „Götterdämmerung", endliches Ende. Das Publikum reagiert wie es dem Ritual entspricht. Der Brunstschrei der Zustimmung löst sich aus den gepreßten Gemütern, die komprimierten Emotionen machen sich röhrend Luft. Und die burschikose Form des Beifalls, die aus den Universitäten, von denen sie kommt, längst verbannt ist (denn da gibt es keine Lust an wie auch immer gearteten Formen mehr), macht nun das Holz des Festspielhauses erzittern: die Lackschuhe und die Seidenschühchen trampeln, was das Zeug hält.

Dagegen, auch das gehört zum Ritus, die schrille, aber schmale Stimme des Protestes, Pfiffe, Buh-Gedröhn. Die Parteien, sie wollen es nicht anders, steigern einander und eskalieren, keiner will nachgeben, so hebt sich immer wieder der Vorhang. Er hebt sich über dem ganzen Ensemble und läßt noch einmal das Schlußbild aufscheinen, bevor es von diesem sinnlosen Applaus-Protest-Zweikampf zugedeckt wird. Chéreaus Finale hatte die vielen Menschen der Bühne, das Volk ohne die Helden, zu der gewaltigen Untergangsmusik im Halbkreis versammelt. Blickrichtung Publikum, mit aufgerecktem Gesicht, fragend. Wir anderen sind gemeint. Ist dies das Ende? Die Musik schmelzt das Erlösungsmotiv ein: ist dies das Ende? Gibt es Raum noch für die Menschen nach dem Untergang der Götter, dem Tod der Helden? Ist hier Erlösung von etwas gemeint, oder Erlösung zu etwas? Dürfen wir, nachdem Glauben und Wissen sich dementiert haben, dürfen wir hoffen?

Wer meint, den Sinn von Wagners Finale zu kennen, der kennt den „Ring" nicht. Das Ende ist – ob gewollt, ob nicht gewollt, bleibt einerlei – offen. Das Ende bleibt die Frage an ein Orakel, bleibt die verschleierte Antwort eines Orakels (Boulez).[7] Der Rest ist nicht Schweigen, sondern Frage, Unruhe, Zweifel, auch Hoffnung vielleicht. Wo Kunst dergleichen erreicht, läßt sich zu ihrem Ruhme kaum Größeres sagen.

Bühnenweihfestspielbesucher – Festspielbesucher – Spielbesucher

Wir fahren nach Bayreuth – wie die Dinge liegen, heißt das nicht: Wir fahren in ein fränkisches Städtchen, um uns dort seine Tradition und seine Natur anzusehen, das Markgräfliche Opernhaus etwa oder die Eremitage mit dem Park, dem ausladenden, einladenden, oder aber Jean Pauls Wohnhaus.

Wir fahren nach Bayreuth – wie die Dinge liegen, heißt das: Wir fahren im Juli oder August. Und das wiederum heißt: Wir fahren zu den Festspielen. Das sagt sich so. Wie aber hört es sich an? Wie wird es aufgenommen?

Unsere Freunde jedenfalls, die Ankündigung hörend, sehen einen Augenblick auf, dann an uns vorbei, irritiert, amüsiert, enttäuscht. Denn unsere Freunde fahren nicht nach Bayreuth. Sie fahren zur Ansbacher Bachwoche oder zu den Internationalen Ferienkursen für Neue Musik nach Darmstadt oder vielleicht nach Verona. Allenfalls, wenn es denn schon etwas mehr sein soll, nach Salzburg. Aber Bayreuth?

Es gibt eine Rangordnung der Komponisten, die eher an den Gotha erinnert als an Musik. Ein irrational sich mitteilendes Wertegefüge. Innerhalb seiner rangieren Bach und Mozart weit vor Wagner, und mit ihnen gegebenenfalls auch Stockhausen und Ligeti. Das hat nichts mit Wagner zu tun, sondern mit seiner Gemeinde. Insofern doch mit Wagner.

Nach Bayreuth also? Wir sähen, sagen unsere Freunde, doch gar nicht so aus. Merkwürdig, so würde man niemandem antworten, der zu Brahms-Festtagen oder einem Fischer-Dieskau-Zyklus fährt, wo man, scheint es, aussehen kann wie man will.

Bayreuth ist etwas anderes.

Unser Entschluß indessen ist gefaßt.

Also sagen wir nicht ohne einen Unterton von Trotz und Dazu-Stehen-Wollen: Wir fahren nach Bayreuth. Was aber heißt das?

Fragwürdig: Die Gemeinde, Kult und Kommerz

Er ist zweiundzwanzig Jahre alt, noch kein Meister also und auch kein „Meister", als er das Städtchen zum ersten Male sieht: Die Fahrt, „mit der Ankunft in dem vom Abendsonnenschein lieblich beleuchteten Bayreuth, wirkte noch bis in späteste Zeiten angenehm auf meine Erinnerung". Das war 1835 und Wagner auf dem Wege, Schwager und Schwester Wolfram in Nürnberg zu besuchen (wo er alsbald in Wirtsstube und Gassen die Urszene erlebte, aus der die „Meistersinger" sich entwickeln sollten – über dreißig Jahre hin). „Bis in späteste Zeiten" wirkte also das Reisebild auf die Erinnerung. Der das schreibt, vermutlich im Jahre 1866, weiß noch nichts und hat wiederum doch ein Vorwissen davon, daß er und Cosima vom 16. bis 20. April 1871 Bayreuth aus konkretem Anlaß besuchen werden: Wagner besichtigt, anonym, das Markgräfliche Opernhaus – und findet es für seine Pläne ungeeignet. Was niemanden verwundern darf, der sowohl das Markgräfliche Opernhaus als auch Wagners Pläne kennt.

Es wurde daraus also das Festspielhaus, wurden daraus die Festspiele, wurden daraus die Festspielbesucher. Die Idee, wie der ganze Wagner: kolossalisch, hochfahrend, besitzend und besessen. Ihre Durchführung, wie meist bei Wagner, voller Mühsal, Gefährdung, Rückschläge. Ihr Fortleben in unserer Zeit aber hat mit den Ursprüngen nicht mehr viel gemein.

Denn dies war doch das Konzept, in sich großartig und konsequent: Dieser bisher unerhörten Musik und dem, was sie darstellt, ihren Ort zu schaffen. Den Schwerpunkt der Authentizität. Was hier gespielt wurde, sollte, Willkür und Zufall entzogen, immer wieder Vollzug des meisterlichen Willens und seiner steten Selbsterneuerung sein.

Mit der Entschiedenheit solchen Willens war – wie zeitlebens bei Wagner – die Entschiedenheit der Zustimmung oder

Ablehnung, war also die Gemeinde und ihre Aktion verbunden. Aus ihr formierte sich die Unter-Gemeinde der Patrone, die Geld hatten und geben sollten – eben damit das Unternehmen seinerseits dem Bereich des Kommerziellen würdig entrückt bleiben konnte: Zum ursprünglichen Konzept gehörte es ja, daß die Besucher kostenlos des Wagnerschen Welttheaters teilhaftig würden.

Das Konzept hatte sein Grandioses, und es hatte die Gefährdung und Pervertierung seiner selbst in sich. Kunst und Kommerz – die Liaison mag schelten, wer sie zu trennen vermag. Aber Kult und Kommerz – diese Verbindung schmeckt schal, und wer wollte leugnen, daß sie ein Teil Bayreuths ist und des Fragwürdigen seiner Aura.

„Was mich an diesem ganzen Unternehmen abstößt, ist der Geist, aus dem es geschaffen ist; ich habe meine Bedenken, wenn man eine Theateraufführung auf die gleiche Ebene stellt mit der heiligen, symbolischen Handlung des Gottesdienstes. Denn ist die ganze Bayreuther Aufmachung nicht wirklich eine unbewußte Nachahmung des kirchlichen Ritus?"

So der große Strawinsky, hier so wenig ganz im Irrtum wie ganz im Recht (und war sein „Oedipus rex" etwa frei von Kultischem?). Denn natürlich war die „Nachahmung" nicht „unbewußt", natürlich wollte Wagner den Kult, natürlich ist es möglich, ein Netzwerk zu knüpfen von Glauben und Ritus und Spiel. Nicht in der liturgischen Strenge des christlichen Kultes – wohl aber verstanden sich die Griechen und ihre Götter auf solche Feste. Indessen ist Strawinsky recht zu geben insofern, als heute die Zeit der kultischen Spiele nicht mehr ist. Warum aber nicht der Kultur-Spiele?

Ein perfektes Happening

Wagners Begriff des Gesamtkunstwerks ist mißverstanden worden. Daß er indessen mehr will und mehr darstellt als „Große Oper", ist jedem deutlich, der zu sehen und zu hören gelernt hat denn lernen muß man das). Es ist unter anderem die Einbeziehung des Publikums in das zaubernde und verzaubernde Geschehen, die Wagners vertrackte Größe ausmacht und seine Wirkung. Wie das – angesichts des mächtigen Abgrunds der Orchesterschlucht, der strikten Trennung von Bühne und Publikum, die ursprünglich sogar die überbrückende Funktion der applausdankenden Verbeugung verachtete? Die Einbeziehung, die Amalgamierung von allem an alles geschah eben dadurch, daß jeder, der kam, auf die Sache eingestimmt war (das ist das rechte Wort), sich ihr zugehörig, ihr verbunden wußte. In einem Maße freilich, das dann dem Geschehen den Charakter weihevoller Mysterien gab, vollzogen außerhalb jenes Bereichs von Widerstand, Frage und Kritik, der ein Wachstumsbereich künstlerischer Kulturen ist. Außerhalb auch jener Heiterkeit, ohne die Kunst nicht sein will. Die Gemeinde, Wagners wildes Heer, sie hat ihren Meister seiner Mitwelt und Nachwelt unendlich ferner entrückt, als er es selbst tat durch den Schock seiner Musik, durch die Provokation seiner Lebensform. Das aber war vor allem Cosimas, dann Winifreds peinliches Verdienst.

Wer nie in Bayreuth war, der hat daher zuerst die Vision von Fürsten und Magnaten, den Hügel hinauf wallfahrend, von Frack und Smoking, Großem Abendkleid, Karossen und Chauffeuren, und ringt die Hände: Kunst als Privileg, Kunst als Anlaß zur Kunst der Selbstdarstellung, gekaufter Geist, angemaßtes Vermögen, und über all dem wolkig das wissende Gemurmel der Hierophanten.

Das ist in der Tat ein horribles Panorama. So indes, wie es sich in dieser Vision bietet, ist es verzerrt und verzeichnet. Gewiß, Bayreuth bleibt eine teure Sache, denn nicht nur für die Karten sind hohe Preise zu zahlen (wenn man überhaupt Karten bekommt), sondern eine Reise ist zu machen, eine Unterkunft zu bestellen. Doch gibt es hierzulande kaum jemanden, der dieses Opfer nicht bringen könnte, wenn er es wirklich bringen wollte. Natürlich gibt es sie, die Sechshunderter und die Dienstwagen, die Eröffnungs-Zeremonien und die aufprunkenden Produkte der Nerz-Kultur. Aber all dies wird leichthin integriert, wird aufgesogen fast ohne Rest in die Stimmung von Heiterkeit und Fest, die Bayreuth in dieser Zeit dirigieren.

Denn eine solche Vorstellung, die um vier des Nachmittags beginnt und um zehn Uhr in der Dunkelheit endet, ist ja kein „Theaterbesuch". Sie ist wirklich und wahrhaftig ein perfektes Happening, eine künstlerische und kunstvolle Großveranstaltung unter lebhafter und mitverantworteter Beteiligung des Publikums, in mehreren Akten. Das beginnt mit der Auffahrt, Bayreuth freut sich und schmückt sich, die Fahnen bunt in der Sonne (fast immer ist Sonne) zeigen den Weg; und auch zu Fuß strebt sich's festlich – Kleidsaum im Sande schleppend, Smoking noch unterm Arm – dem hohen Hause zu. Einzug der Gäste, Festwiese, das Volk spielt freundwillig-neugierig mit. Dann dieser durchaus singuläre Charme der Klingelzeichen, die eben keine sind, sondern Bläserakkorde, vom Stirnbalkon herabsinkend und hineinrufend.

Hinein in diesen erstaunlichen, jeden in sich aufschluckenden Bau, der ein einziger Resonanzkörper aus Holz ist (aus Holz daher auch die harten Sitze). Die einst gaslichtigen Kugelglockenleuchter werden dunkel, und dann – ich kann es nur mit Horst Krüger sagen, der skeptisch hingefahren war wie ich: „Es beginnt jetzt ein Wunder." Und weiter: „Das Wunder heißt Wagner, heißt die Welt, in Musik gesetzt, das Leben als Rausch, als Klang, als ganz raffinierter Rhythmus."

Heißt natürlich noch viel mehr. Wer nie den weltengebärenden Es-Dur-Akkord in diesem Raum, aus diesem Raum gehört hat, der das „Rheingold" eröffnet, der weiß nichts von der, so sagt man wohl: Macht der Musik. Jedoch von ihr soll hier die Rede nicht sein, ich könnte sie auch nicht angemessen schildern. Aber daß man das durchhält, diese strikteste Herausforderung, dies Betroffensein, muß zusammenhängen mit dem tapferen Rest von Trotz und Vorbehalt, der leisen amüsierten Ironie, dem zwinkernden Verdacht gegenüber dem allzu Süßen, allzu Raffinierten, allzu üppig Aufrauschenden, muß kurzum zusammenhängen mit dem Anti-Wagnerischen in uns, das uns auf linde Weise hindert, ganz in ihm aufzugehen, uns aufzulösen in seiner abgefeimten grandiosen Zaubermixtur. Widerstand als Chance der Zustimmung. Hanslick und Nietzsche immer präsent. Feuerzauber und Gegenzauber.

Dann die Pausen, bedacht gesetzt, wie Fermaten, zu früh nicht und nicht zu spät, zu kurz nicht und nicht zu lang. Man promeniert, man ißt und trinkt und staunt und wundert sich, daß hier dasselbe Kleid schon zum zweiten Mal und daß dort nie dasselbe Kleid zum zweiten Mal getragen wird. Auch für dergleichen Weltlichkeiten hatte der Meister, man weiß es, ein starkes Organ.

Ich mag das: den Brokat und den Smoking vereint mit fränkischen Rostbratwürstchen und Bier. Die Kontraste ergeben ihre eigene Harmonie oder Harmonik – auch das hat mit Wagner zu tun. Alban Berg freilich klagte 1909:

„Nach dem zweiten Akt Wiederholung der ersten Pause, nur mit obligater Fresserei; die Bayern trinken Bier dazu, die Amerikaner Champagner. . . . der ganze Ort eine Ausbeutung des ‚Wagnergedankens'. Es ist eine tief, tief betrübende Schmach, die hier das ‚deutsche Volk' seinem größten Deutschen bereitet!"

Hätte ich zu bestimmen – und manchmal hätte ich's gern –, dann würde ich aus den Park- und Wiesenanlagen um das Festspielhaus eine große Picknick-Landschaft machen. Wer Glyndebourne kennt, weiß, was ich meine. Glückliche Engländer, das Empire zwar ist dahin, und um den Rest steht es auch nicht gut, aber manche unserer Probleme sind ihnen fremd: Sie tragen Smoking und Abendkleid, als wär's ein Stück von ihnen, fern von Krampf und Getue, kein Zelebrieren und kein Ritual, und alle, die da sind, haben zwar ihre Privilegien, aber man merkt es ihnen nie an – ja mehr: Sie wissen es vermutlich gar nicht. Das gibt den Schwerpunkt, der ruhig macht, gelassen – und picknickfroh. Da lagern sie denn also, vor ein paar Jahren noch brachte der Chauffeur aus dem Rolls die Körbe, breitete die Decken aus – das machen die meisten jetzt selbst, und nun ist rund um das Spielhaus (übrigens ein Holzcorpus wie Bayreuth, nur eckiger und kleiner) eine Renoir-Szenerie geschaffen. Hingestreckt wehrt man den Mücken, nimmt Champagner und Biskuits, kümmert sich nicht um den Nachbarn, aber nimmt Rücksicht auf ihn, und jenseits des Wassergrabens schauen Kühe großäugig zu. Das kann man auch in Bayreuth machen, nur ist es weniger üblich und etwas abseitiger. Wohl ihm, der es tut, er hat zu den vielen Freuden der großen Vorstellung eine weitere gefügt, und nicht die geringste.

Spiele ernstgenommen – ein Fest ohne Weihe-Feier

Bayreuth ist nicht länger Wallfahrtsort, Kultstätte, Opferaltar. Das hängt nicht nur mit der stetigen Entmythologisierung unserer Welt zusammen. Sondern auch mit dem Umstand, daß die Bayreuther Szene nicht mehr Maß und Mitte, nicht mehr die Regel des Ordens hergibt. New York, Paris, Wien, München oder Hamburg, die großen Opernhäuser haben heute alle die Mittel und das Wissen, Wagner optimal gerecht zu werden – und mancher prominente Dirigent und Sänger und Regisseur empfindet die Berufung auf den Festspielhügel schon nicht mehr als Lockung: Anderwärts ist das Honorar höher.

Es ist ein Stück abgetragen worden vom Festspielhügel. Er nähert sich menschlichem Maß. Das tut ihm gut. Ich weiß, Wagner wollte die „Oper“ nicht, und in der Tat hat er mehr geschaffen als Große Oper. Dennoch ist es eben sein Bayreuth, das etwas bewahrt, was der Oper ursprünglich eigen ist: das Fest. Eine sehr humane Sache.

Oper als Fest – so sehe ich Bayreuth heute. Eine Übung in heiterer, in bewegter Ganzheitlichkeit. Der Musik für einige Tage ungeteilt zugetan – nicht ihr untertan, oder wenn, dann auf gefahrlose Weise, gewissermaßen mit ihr komplottierend. Spiele ernstgenommen – wo denn geht das sonst noch in dieser arbeitsteiligen, in dieser Leistungs-, in dieser Freizeitgesellschaft? Die in allem, was sie tut, nur vor sich flieht, die in der Fluchtbewegung ihrer inne zu werden meint. Die sich bestätigt in der trügerischen Illusion von Leistung und Erholung?

Bayreuth, Fest ohne Weihe-Feier, Spiele ohne Würde-Zwang: Das gibt Bayreuth Würde.

Anmerkungen

Mittler des Mittelalters

[1] Peter de Mendelssohn, Der Zauberer, Das Leben des deutschen Schriftstellers Thomas Mann, Erster Teil 1875–1918, 1975, S. 447f.

[2] Mendelssohn ebda.

[3] Lebensabriß 1930, Gesammelte Werke, Berlin 1955, Band XII, S. 386.

[4] Mendelssohn S. 152; um genau zu sein: „knapp neunzehnjährig" muß hier heißen: er war achtzehndreiviertel.

[5] Lebensabriß, S. 386.

[6] Lebensabriß, S. 387.

[7] Lebensabriß, S. 387; übrigens macht Mendelssohn S. 171 auf einen Gedächtnisfehler aufmerksam: Nicht hat Thomas Mann, wie ihm zu glauben die Erinnerung im „Lebensabriß" nahelegt, erst „nach Jahresfrist" sein Schrägpult in der Versicherungsanstalt geräumt, sondern bereits nach fünf Monaten.

[8] s. Mendelssohn, S. 176.

[9] Mendelssohn, S. 24.

[10] Ges. Werke Bd. IX, S. 588.

[11] hierzu und zum Folgenden s. Wolfgang Golther, Tristan und Isolde in den Dichtungen des Mittelalters und der neuen Zeit, 1907, S. 243–258. Auch Friedrich Ranke, Tristan und Isold (= Bücher des Mittelalters), 1925, S. 255ff., S. 275 (schöpft hier nur aus Golther); die Titel mit jeweils den Anfangszeilen der Meisterlieder in Band 25, S. 384 der großen Hans-Sachs-Ausgabe in der Bibliothek des Stuttgarter Literarischen Vereins, hg. von A. v. Keller und E. Goetze, 1870–1908, Neudruck 1964 (= BLV Bd. 225, 1902).

[12] Werke Bd. XII, hg. von Adelbert v. Keller (BLV Bd. 140), S. 142–185.

[13] 1949, 3. Aufl. 1973, S. 447–481.

[14] auch abgedruckt in Band XIII der Gesammelten Werke, S. 9–17.

[15] abgedruckt in Band XIII der Gesammelten Werke, S. 17f.

[16] Viktor Mann S. 476; Ges. Werke Band XIII, S. 18.

[17] Carl Dahlhaus, Richard Wagners Musikdramen, 1971, S. 55.

[18] Bd. XII, S. 185; Ranke, S. 262: diese Verse stammen schon vom einundzwanzigjährigen Hans Sachs; Barbara Könneker, Hans Sachs, 1971 (Sammlung Metzler 94), S. 26: „eine Sentenz, die schon der ganz junge Sachs geprägt und später noch oft wiederholt hat". Es bleibt festzuhalten, daß sie dem fast Sechzigjährigen also nach wie vor als triftiges Programm erscheinen.

[19] Der Zahlenvergleich ist anfechtbar nicht nur der gänzlich unterschiedlichen Darstellungstechnik sondern der andersartigen stofflichen Vorlage halber, und dennoch ist er auf simple Weise aufschlußreich. – Der Text des Hans Sachs: Werke Bd. XII, S. 147–154.

[20] Bd. XII, S. 185; Zu Sachsens ‚Rahmentechnik', zu Funktion und Form von Prolog und Epilog sowie der eventuellen Vergleichbarkeit mit Brechts ‚Epischem Theater' s. Könneker, S. 53, 55, 56.

[21] 1924, Gesammelte Werke Bd. XIII, S. 18. – Mit „ihn" ist laut Kontext Gottfried gemeint; es muß also wohl heißen: „ihm"; oder aber: „*den* Abertausenden"

[22] Thomas Mann Bd. XIII, S. 18.

[23] Bd. XIII, S. 18. – Ob da nicht, dem Autor bewußt oder nichtbewußt, der frühe Brecht seine Hand im Spiele hat?

[24] Wir waren fünf, S. 476f.

[25] zitiert nach dem von Edmund Goetze veranstalteten „Neudruck" Nr. 29 „deutscher Literaturwerke des 16. und 17. Jahrhunderts", 1880; Nachdruck 1967, S. 40f.

[26] Epilog des Ehrnholdts zur „Tragedia von der Lucretia", 1527, Werke Bd. XII, 1879, hg. von Adelbert von Keller, (= BLV Bd. 140), Neudruck 1964, S. 13f.

[27] Zum Folgenden vor allem: Barbara Könneker, Hans Sachs, passim. Das. auch reiche Lit. Angaben.

[28] Könneker, S. 15: Wir sind über Sachs' „riesiges Gesamtwerk insgesamt so zuverlässig unterrichtet, wie über das Werk keines anderen Dichters aus diesem oder früheren Jahrhunderten".

[29] Hierzu und zum Folgenden s. K. Fr. Baberadt, Hans Sachs im Andenken der Nachwelt, Ein Beitrag zur Hans-Sachs-Literatur, 1906; Ferdinand Eichler, Das Nachleben des Hans Sachs vom XVI. bis ins XIX. Jahrhundert, 1904; s. auch Könneker, S. 70–75.

[30] s. Baberadt, S. 175.

[31] s. Erich Trunz, Goethe, Werke in der Hamburger Ausgabe, Band 1, (o. J.), S. 530f.

[32] Trunz Band 1, S. 135–139; dort in der Urfassung, seit dem

Druck in den „Schriften" von 1789 mit einigen Glättungen versehen, s. Trunz S. 530.

[33] aufgezählt bei Baberadt, S. V–VI.

[34] Baberadt, S. 8.

[35] Baberadt, S. 8.

[36] Hans Mayer, Richard Wagner (= rowohlts monographien), 1959, S. 125; doch s. u. S. 69.

[37] Fritz Strich, s. Könneker, S. 15.

[38] erschienen 1852, zitiert nach Band 4 der Gesammelten Schriften und Dichtungen von R. W., 1888, S. 230–344.

[39] S. 284–287.

[40] zitiert nach der Ausgabe von Martin Gregor-Dellin, 1963.

[41] Mein Leben, S. 315f.

[42] Mein Leben, S. 684.

[43] und zwar in dem Buch über R. W.: „Der traurige Gott", das noch 1978 gleichfalls im Beck-Verlag erscheinen soll.

[44] zitiert nach der „Wagner-Chronik" von Martin Gregor-Dellin, 1972, S. 42, deren knappe und sachliche Informationstechnik durchgängig und für den Benutzer höchst hilfreich von der Kompetenz des Experten zeugt. Zu der ersten Marienbader Begegnung zwischen Hanslick und Wagner s. Eduard Hanslick, Aus meinem Leben, Bd. 1, 1894, S. 65f.

[45] Mein Leben, S. 720.

[46] Ebd., S. 690.

[47] Gregor-Dellin, Chronik, S. 100.

[48] Mein Leben, S. 127f.

[49] Mein Leben, S. 128–131.

[50] Richard Wagners Musikdramen, S. 68.

[51] Mein Leben, S. 315.

[52] Übrigens lautet der Titel korrekt: „Geschichte der poetischen National-Literatur der Deutschen".

[53] Zweiter Theil, S. 58–80.

[54] Dritter Theil, S. 110.

[55] Mitteilung, Schriften Bd. 4, S. 284.

[56] mit Bleistift an den Rand des Entwurfs von 1845 geschrieben, s. Baberadt, S. 33f.; Mitteilung, Schriften Bd. 4, S. 286.

[57] zitiert nach dem Textbuch hg. von Georg Richard Kruse, Reclam UB 4488, o. J. (1903); zu den beiden Schlußfassungen s. Einleitung, S. 23f.: es sei der ursprüngliche Abschluß Lortzing wohl nicht „opernhaft" genug erschienen, so hat er nach der Leipziger Uraufführ-

rung von 1840 für die spätere Mannheimer Fassung ein wirksameres Finale (von Düringer dichten lassen und) komponiert.

[58] S. 14, Anm. 1.

[59] Hierzu und zum Folgenden: Oswald Georg Bauer, Rezeption und Geschichtsbewußtsein. Materialien zur Hans-Sachs-Rezeption des 19. Jahrhunderts, im Programmheft III der Bayreuther Festspiele 1975, S. 1–13.

[60] Bauer, S. 2.

[61] Baberadt, S. 33.

[62] Mitteilung, Schriften Bd. 4, S. 286.

[63] Bauer, S. 9.

[64] s. o. S. 69.

[65] Andere wörtliche Entsprechungen sind durch Kursivdruck hervorgehoben.

Cosima Wagner und Cosimas Wagner

[1] Cosima Wagner, Die Tagebücher. Band I 1869–1877, ediert und kommentiert von Martin Gregor-Dellin und Dietrich Mack, 1976.

[2] Richard Wagner, Mein Leben. Vollständige, kommentierte Ausgabe, hg. von Martin Gregor-Dellin, 1976. (Mit wichtigem neuen Nachwort des Herausgebers).

Bayreuth nach hundert und einem Jahr

[1] C. Fr. Glasenapp, Das Leben Richard Wagners, Bd. 3, 1921, S. 306.

[2] Diese und die folgenden ausgelesenen Kritiken verdanke ich dem Heft Bayreuth 1977, herausgegeben von der Festspielleitung durch Oswald Georg Bauer.

[3] Unter dem törichten Titel Ein Wagner-Brevier; neu übersetzt 1973 in der Bibliothek Suhrkamp.

[4] S. hierzu Martin Gregor-Dellin, Richard Wagner – die Revolution als Oper, 1973.

[5] Vorwort zum Wagner-Brevier, S. 7f.

[6] Abgedruckt in den Programmheften der Festspiele Bayreuth 1977 zum „Rheingold“ und zum „Siegfried“.

[7] „Siegfried“-Programmheft 1977, S. 21f.

Nachweise

Ich habe Wolfgang Buhl in Nürnberg und Helmut Heißenbüttel in Stuttgart zu danken, die mich durch thematisch begrenzte Vortragseinladungen ermutigten, mich nicht nur kulinarisch sondern auch wissenschaftlich mit Wagner zu beschäftigen.

Viele Gespräche mit Romi und Vicco v. Bülow förderten und ermutigten bei dem Unternehmen.

Verlagen und Herausgebern danke ich für die Nachdruckerlaubnis. Ergänzungen, Änderungen und Korrekturen sind nicht eigens vermerkt.

Der Magier und sein Mythos: DIE ZEIT Nr. 30 vom 16. Juli 1976

Mittler des Mittelalters: ungedruckt. Eingearbeitet sind die Artikel: Hans Sachs: Dichter- und Stifterfigur, Süddeutsche Zeitung vom 17./18. Januar 1976; und: Tristan: Moritat und Tagelied, MERKUR Heft 8/1976

Das Leben als Oper: aus dem Programmheft zum „Siegfried“ der Bayreuther Festspiele 1976

Cosima Wagner und Cosimas Wagner: MERKUR Heft 2/1977

Bayreuth nach hundert und einem Jahr: NEUE RUNDSCHAU Heft 4/1977

Bühnenweihfestspielbesucher-Festspielbesucher-Spielbesucher: MERIAN „Bayreuth“, 1976.

Register

der Personennamen, Begriffe und „Werktitel"
(diese nicht unter dem Artikel sondern dem ersten Substantiv, also „Das Rheingold" unter „Rheingold". – „A." = Anmerkung).

Beck'sche Schwarze Reihe

Die zuletzt erschienenen Bände

112 W. Toman, *Familienkonstellationen*. Ihr Einfluß auf den Menschen und sein soziales Verhalten
113 *Arbeiterselbstverwaltung in Jugoslawien*. Ökonomische und wirtschaftspolitische Probleme. Hrsg. H. Hamel
114 W. Wesiack, *Grundzüge der psychosomatischen Medizin*
115 *Urbanistik*. Neue Aspekte der Stadtentwicklung. Hrsg. H. Glaser
116 R. König. *Die Familie der Gegenwart*. Ein interkultureller Vergleich
117 H. Klages, *Die unruhige Gesellschaft*
118 W. L. Bühl, *Einführung in die Wissenschaftssoziologie*
119 H. Arndt, *Wirtschaftliche Macht*. Tatsachen und Theorien
120 W. Röd, *Dialektische Philosophie der Neuzeit 1:* Von Kant bis Hegel
121 W. Röd, *Dialektische Philosophie der Neuzeit 2:* Von Marx bis zur Gegenwart
122 K. D. Opp, *Soziologie der Wirtschaftskriminalität*
123 R. Schmid, *Das Unbehagen an der Justiz*
124 *Sozialistische Marktwirtschaften*. Hrsg. H. Leipold
125 F. Pollock, *Stadien des Kapitalismus*
126 G. E. Moore, *Grundprobleme der Ethik*
127 H. Lefèbvre, *Der Marxismus*
128 H. Richtscheid, *Philosophische Exerzitien*
129 W. Büchel, *Gesellschaftliche Bedingungen der Naturwissenschaft*
130 R.-R. Grauhan, *Grenzen d. Fortschritts?* Kosten und Nutzen der Rationalisierung
131 E. Meistermann-Seeger, *Gestörte Familien*
132 E. Wiehn, K. U. Mayer, *Soziale Schichtung und Mobilität*
133 W. von Simson, *Die Verteidigung des Friedens*. Beiträge zu einer Theorie der Staatengemeinschaft
134 H. L. Arnold, *Gespräche m. Schriftstellern*
135 T. Guldimann, *Lateinamerika*
136 Neumann, Rahlf, Savigny, *Juristische Dogmatik und Wissenschaftstheorie*
137 *Westdeutschlands Weg zur Bundesrepublik 1945–1949*
138 U. Andersen, *Vermögenspolitik*
139 Böckels, Scharf, Widmaier, *Machtverteilung im Sozialstaat*
140 H. L. Arnold, Th. Buck (Hrsg.), *Positionen des Erzählens*
141 R. Saage, *Faschismustheorien*
142 *Rechtswissenschaft und Nachbarwissenschaften* 1. Band
143 *Rechtswissenschaft und Nachbarwissenschaften* 2. Band
144 R. Carson, *Der stumme Frühling*
145 T. Guldimann, *Die Grenzen des Wohlfahrtsstaates*
146 R. Schenda, *Die Lesestoffe der Kleinen Leute*
147 C. B. Macpherson, *Demokratietheorie*
148 Haensch, Lory, *Frankreich*. Band 1
149 H. Seiffert, *Sprache heute*
150 P. Rilla, *Lessing*
151 St. Perowne, *Hadrian*
152 *Lexikon der Ethik*. Hrsg. O. Höffe
153 *BRD/DDR-Wirtschaftssysteme*. Hrsg. H. Hamel
154 P. C. Ludz, *DDR zwischen Ost und West*
155 M. Krüll, *Schizophrenie u. Gesellschaft*
156 *Grundwerte in Staat u. Gesellschaft*. Hrsg. G. Gorschenek
157 *Und ich bewege mich doch*. Gedichte vor und nach 1968. Hrsg. J. Theobaldy
158 Mitterauer/Sieder, *Vom Patriarchat zur Partnerschaft*
159 H. Seiffert, *Stil heute*
160 A. Birley, *Mark Aurel*
161 H. Nicolai, *Zeittafel zu Goethes Leben und Werk*
162 M. Koch-Hillebrecht, *Das Deutschenbild*
163 H. L. Arnold, Th. Buck (Hrsg.), *Positionen des Dramas*
164 P. Rilla, *Literatur als Geschichte*
166 J. M. Werobèl-La Rochelle (Hrsg.), *Politisches Lexikon Schwarzafrika*
167 C. Sening, *Bedrohte Erholungslandschaft*
168 M. Kriele, *Legitimitätsprobleme der Bundesrepublik*
169 R. Bianchi Bandinelli, *Klass. Archäologie*
170 *Deutsche Erzählungen des Mittelalters* Hrsg. U. Pretzel (Herbst 1978)
171 G. van Roon, *Europa und die Dritte Welt*
172 A. Hauser, *Im Gespräch mit Georg Lukàcs*
173 H. Glaser, *Literatur des 20. Jahrhunderts in Motiven*. Band I 1870–1918
174 H. Riege, *Nordamerika* Band I
175 E. Kornemann, *Geschichte der Spätantike*
176 H. Wassmund, *Revolutionstheorien*
177 Knapp, Link, Schröder, Schwabe, *Die USA und Deutschland 1918–1975*
178 P. Wapnewski, *Richard Wagner. Die Szene und ihr Meister*

Verlag C. H. Beck München